SANDRA TRUSCOTT
JOSÉ ESCRIBANO

Rosemarie Beinker

L'ESPAGNOL C'EST FACILE

DIRECTEUR DE COLLECTION
BRIAN HILL

METHODE INDIVIDUELLE DE LANGUE

CLASSIQUES HACHETTE

Dans la même collection :

PARLEZ L'ANGLAIS C'EST FACILE
(Un livre et un coffret de trois cassettes bi-pistes)
PARLEZ L'ALLEMAND C'EST FACILE
(Un livre et un coffret de trois cassettes bi-pistes)

Comme pour l'anglais et l'allemand, la méthode complète d'espagnol comprend un livre et **trois cassettes bi-pistes**

Dessins de Paul Woolfenden et de Brian W. Stevens

ISBN 2.01.009524.3

© 1982 Sandra Truscott, José Escribano, Brian Hill, Pan Books, Londres.
© 1985 Hachette, 79 boulevard Saint-Germain F 75006 Paris.

PRÉFACE

Vous avez envie ou besoin d'aller en Espagne, vous n'avez jamais eu l'occasion d'apprendre l'espagnol ou bien vous avez passé quelques années à essayer de vous y retrouver dans la grammaire et vous n'êtes pas plus avancé qu'avant.

Voici une méthode dont l'ambition est de vous permettre de comprendre et d'être compris au moins pour l'essentiel en pays de langue espagnole.

Il ne s'agit pas de dire que vous allez apprendre sans peine mais que vos efforts vous serviront effectivement à vous acheter le billet de train qui correspond bien à votre destination, ou à ressortir d'un magasin avec un pull à votre taille.

Quelques conseils

● Avant tout, faites-nous confiance. L'apprentissage d'une langue est un phénomène complexe. Ne vous inquiétez pas si certains détails vous échappent, ou si les explications fournies vous semblent incomplètes : nous nous proposons d'élaborer progressivement vos connaissances en ne sélectionnant que ce qu'il est indispensable de savoir à chaque étape.

● Ne travaillez que vingt ou trente minutes par jour, mais travaillez tous les jours. Un peu tous les jours vaut mieux que trois ou quatre heures une fois par semaine.

● Travaillez à voix haute pour prendre l'habitude de parler.

● Si vous ne comprenez pas quelque chose, laissez-le de côté. Une langue s'apprend comme on fait un puzzle. Il y a différentes façons d'y parvenir et les choses se mettent en place au moment où l'on s'y attend le moins.

● Votre livre est conçu pour être aussi un cahier d'exercices. N'hésitez pas à y inscrire vos remarques.

● Faites souvent des révisions (vous trouverez des rubriques « révision » tous les cinq chapitres). N'hésitez pas à revenir en arrière et à refaire les exercices, ou à réécouter les dialogues jusqu'à complète familiarisation.

● Demandez à quelqu'un de vous aider à apprendre tout ce qui fait appel à la seule mémoire même si il/elle ne parle pas l'espagnol : mieux encore, travaillez le cours avec quelqu'un qui a les mêmes objectifs que vous.

Plan de travail

À chaque chapitre de 14 pages correspondent environ dix minutes d'enregistrement. Au fur et à mesure que vous avancez vous mettrez sans doute au point votre propre méthodologie, mais nous vous conseillons de vous conformer à notre plan au moins pour les trois premiers chapitres. Le livre et l'enregistrement ont été conçus pour être des compagnons de travail très attentifs qui guideront pas à pas vos progrès. Aucune indication, aucun conseil ne sont gratuits, il s'agit d'exploiter à fond toutes les possibilités offertes par la méthode.

En voici les temps forts :

Dialogues

Écoutez les dialogues, d'abord sans arrêter la cassette, et prenez un premier contact avec le travail proposé, puis réécoutez, attentivement chaque dialogue, ou groupe de dialogues suggéré, en vous référant au vocabulaire et aux remarques. Prenez l'habitude d'utiliser les touches PAUSE/STOP et RETOUR ARRIÈRE de votre magnétophone pour vous donner le temps de réfléchir ; écoutez les phrases plusieurs fois, et répétez-les après les voix enregistrées. N'en terminez pas avec un dialogue sans être sûr de l'avoir au moins compris.

Mots-clés et expressions idiomatiques

Étudiez cette liste des mots et phrases les plus importants des dialogues. Essayez de les apprendre par cœur. Ils seront utilisés dans la suite du chapitre.

Mettez en pratique ce que vous avez appris

Cette rubrique contient un choix d'exercices d'écoute, qui sont destinés à concentrer votre attention sur les expressions les plus importantes du chapitre. Vous devrez travailler, pour faire ces exercices, en liaison étroite avec le livre. Par exemple, vous serez souvent invité à écouter une partie de la cassette, puis à inscrire les réponses dans votre livre. Ou bien l'on vous demandera de faire un exercice, et de vérifier ensuite vos réponses sur la cassette. Ici, encore, utilisez les touches PAUSE/STOP et RETOUR ARRIÈRE pour vous donner le temps de réfléchir.

Grammaire

Les explications grammaticales arrivent dans le chapitre au moment où vous avez déjà bien saisi de quoi il s'agissait. Vous pourriez vous passer de cette rubrique et n'hésitez pas à le faire si vous avez la grammaire en horreur. Mais vous serez sans doute curieux de savoir comment s'articule la langue du moins sur des points essentiels.

Lire et comprendre / Le saviez-vous ?

Ces deux rubriques sont liées. Elles ont toutes les deux un objectif culturel. Mais la première est l'occasion d'exercices de compréhension orale, ou d'applications écrites, alors que la seconde est purement descriptive. Elle contient entre autres des renseignements pratiques, des points d'histoire ou de civilisation contemporaine. Sans aucune prétention exhaustive, elle vise simplement à attirer votre attention sur des comportements ou des usages qui sont vraiment propres à l'Espagne. A vous d'approfondir sur place !

A vous de parler

Revenez en fin de parcours à la cassette pour bien vous entraîner à la prononciation de la plupart des mots et phrases que vous avez déjà entendus et qui vous ont été expliqués. Le livre ne vous donne qu'un schéma d'exercices, aussi contentez-vous d'écouter votre magnétophone et de répondre. Le plus souvent, on vous demande de prendre part à une conversation où vous entendrez une question en espagnol, suivie d'une série de suggestions en français vous indiquant comment répondre. Vous donnez ensuite votre réponse en espagnol, puis écoutez pour vérifier si elle est correcte. Vous serez probablement obligé de revenir à plusieurs reprises sur ces exercices parlés avant de les faire correctement et, selon toute probabilité, vous utiliserez de nombreuses fois vos touches PAUSE / STOP et RETOUR ARRIÈRE.

A la fin du livre, vous trouverez :
— Les 3 séries d'exercices de révision
— Un lexique
— Un sommaire grammatical
— Des adresses utiles

¡ hola ! ¿ qué tal ?

Vous allez apprendre

- à comprendre des questions simples vous concernant et à y répondre
- à comprendre des questions portant sur votre travail et à y répondre
- à poser des questions simples
- à utiliser des formules de politesse
- à saluer les Espagnols.

Avant de commencer

L'introduction à cette méthode, p. 3, vous donne quelques conseils utiles pour travailler seul et détaille le plan d'étude qu'il vous est recommandé de suivre tout au long de votre progression.

Dès le début, nous allons nous efforcer de développer votre faculté à comprendre l'essentiel de la langue parlée. Commencez donc par écouter la première série de dialogues sans l'aide de votre livre et sans vous attacher aux détails que vous ne comprenez pas.

Dialogues

Dialogues

Si vous avez un lecteur de cassettes à compteur, mettez-le à zéro et notez le chiffre correspondant à chaque dialogue dans le cadre qui figure dans la marge. Cela vous aidera à retrouver les dialogues avec plus de facilité lorsque vous souhaiterez les écouter une seconde fois. Mettez maintenant votre lecteur de cassettes en marche et écoutez.

1 Pepe salue Miguel

Pepe	**¡Hola!**
Miguel	**¡Hola!**
Pepe	**¿Eres español?**
Miguel	**Sí, soy español.**
Pepe	**¿Eres de Sevilla?**
Miguel	**Sí, soy sevillano.**

- **hola**   salut, bonjour
- **sí**   oui
- **español**   espagnol
- **sevillano**   sévillan (de Séville)

Les expressions les plus importantes sont précédées du signe ♦ ; ce sont celles que vous devez essayer de retenir en priorité. Vous en trouverez la liste à chaque chapitre sous la rubrique « Mots-clés et expressions idiomatiques ».

♦ **¿eres español?** es-tu Espagnol? Vous noterez qu'en espagnol, les phrases interrogatives commencent par un point d'interrogation à l'envers, **¿**. C'est à l'intonation que l'on reconnaît la forme interrogative : écoutez la façon dont Pepe demande :
¿eres español? es-tu Espagnol ?
S'il n'utilisait pas cette intonation, Pepe ferait une affirmation : **eres español** tu es Espagnol.

♦ **soy sevillano** je suis Sévillan. En espagnol, on n'emploie guère les pronoms personnels sujets devant les verbes ; c'est la terminaison des verbes qui vous indique à quelle personne le verbe est conjugué. **Soy sevillano** signifie je suis Sévillan, **eres sevillano** tu es de Séville. La conjugaison du verbe être **ser** au présent de l'indicatif figure p. 16. La différence entre **sevillano** et **de Sevilla** est la même qu'entre parisien et de Paris.

2 Tu es de Valence ?

Pepe	**Y tú ¿eres sevillano?**
Alejandro	**No, soy valenciano.**
Pepe	**¿Eres de Valencia?**
Alejandro	**Sí.**
Pepe	**¿De la ciudad de Valencia?**
Alejandro	**Sí.**

- **no** non
- **valenciano**
  valencien
  (de Valence). VALENCIA

♦ **de la ciudad de Valencia** de la ville de Valence.
Comme en français, les noms communs espagnols sont soit masculins,
soit féminins. Les noms au féminin singulier sont précédés de l'article
défini **la** et se terminent généralement par un **a** : **la mesa** la table, **la
carta** la lettre. Malheureusement il y a des exceptions : **la ciudad** la
ville, **la edad** l'âge. Les noms au masculin singulier sont précédés de
l'article défini **el** et un très grand nombre d'entre eux se terminent par un
o : **el libro** le livre, **el tiempo** le temps.

3 John est canadien

Pepe   **Y tú ¿eres español?**
John   **No, soy canadiense, de Montreal.**
Pepe   **Vale.**

- **canadiense** canadien(ne)   • **vale** d'accord, entendu

♦ **vale** d'accord, entendu. Ce mot fait partie du langage familier. Il est
préférable de l'éviter lorsqu'on s'adresse à une personne plus âgée ou que
l'on connaît peu.
Apprenez ces deux autres expressions :
♦ **de acuerdo** et **está bien,** qui signifient aussi : d'accord, entendu.

4 Et voici Teresa et Antonio

Pepe   **¿Y usted, señor, de dónde es?**
Antonio   **De Corella, de la provincia de Navarra.**
Pepe   **Y tú ¿de dónde eres?**
Teresa   **De Sevilla.**

- **la provincia** la province

◆ **y usted, ¿de dónde es? y tú ¿de dónde eres?** ces deux phrases signifient respectivement : et vous, d'où êtes-vous ; et toi, d'où es-tu ? Vous remarquez ici que lorsque Pepe s'adresse à Teresa il utilise le tutoiement **tú eres** alors qu'il s'adresse à Antonio avec la formule **usted es.** En effet, les Espagnols emploient la forme **Usted** qui correspond au vouvoiement français, lorsqu'ils parlent à une personne plus âgée ou qu'ils connaissent peu. Notez la forme abrégée de **Usted, Vd.** ou **Ud.,** d'usage courant.

◆ **¿es usted inglés?** êtes-vous Anglais ?
¿eres de Sevilla? es-tu de Séville ?

5   Sandra parle de son travail

Luisa	**¿Eres estudiante?**
Sandra	**No, soy azafata.**
Luisa	**¿Trabajas en Iberia?**
Sandra	**No, trabajo en Air France.**

● **en** à

◆ **soy azafata** je suis hôtesse de l'air. **Azafata** est un exemple de nom féminin se terminant par un **a. Camarero** signifie steward et également garçon de café. Pourquoi ne chercheriez-vous pas dans votre dictionnaire le mot espagnol correspondant à votre profession ? Vous pouvez aussi être **jubilado** retraité ou **jubilada** retraitée.

◆ **¿trabajas en Iberia?** travailles-tu à la compagnie aérienne Iberia ?
trabajo en Air France je travaille à Air France.
Les verbes espagnols sont classés en trois groupes. Le verbe **trabajar,** travailler, appartient au 1er groupe (voir p. 17). Comme en français, la terminaison des verbes change selon la personne : je travaille **trabajo,** tu travailles **trabajas,** etc. La conjugaison du présent de l'indicatif des verbes en **-ar** figure p. 17.

6   Et toi, Teresa, que fais-tu ?

Pepe	**Y tú ¿qué eres?**
Teresa	**Yo soy profesora.**
Pepe	**¿Dé qué das clases?**
Teresa	**De idiomas, de francés e inglés.**

● **el idioma**   la langue, le langage

♦ **soy profesora** je suis professeur, dit Teresa. Pepe dirait : **soy profesor.**
Notez également : **español** espagnol, **española** espagnole, **francés** français, **francesa** française, **sevillano-sevillana** sévillan-sévillanne.
¿de qué das clases? qu'enseignes-tu ? littéralement : quels cours donnes-tu ? Le verbe **dar** donner appartient aussi au 1ᵉʳ groupe, mais il est irrégulier.

7 Pepe interroge Claude

Pepe	**¿Eres español?**
Claude	**No, soy francés.**
Pepe	**¿Y trabajas aquí?**
Claude	**Trabajo aquí, en Sevilla, sí.**
Pepe	**¿Qué eres?**
Claude	**Soy peluquero.**

- **francés** français
- **aquí** ici

♦ **en Sevilla** à Séville. Autres exemples : **en Madrid** à Madrid, **en Burdeos** à Bordeaux, **en París** à Paris. Dans tous ces cas, **en** est placé devant un complément de lieu — ici un nom de ville — et indique qu'il n'y a pas de mouvement vers le lieu cité.
¿qué eres? que fais-tu ? mot à mot qu'es-tu ?
soy peluquero je suis coiffeur. Une femme aurait dit **soy peluquera.**

8 Votre nom s'il vous plaît

Aduanero	**¿Nombre por favor?**
Teresa	**Mi nombre, Teresa Rodriguez.**
Aduanero	**¿Señora o señorita?**
Teresa	**Señorita, y ¡contentísima!**
Aduanero	**¿Nacionalidad?**
Teresa	**Española.**

- **el aduanero** le douanier
- **por favor** s'il vous plaît, je vous prie
- **mi** mon, ma
- **contentísima** ravie, enchantée
- **la nacionalidad** la nationalité

¿nombre, por favor? votre nom, s'il vous plaît? C'est la question qui vous sera posée à la réception d'un hôtel ou, comme dans ce dialogue, à la douane; c'est la façon officielle de demander son nom à quelqu'un; vous répondrez : Pierre Dupont ou **soy Pierre Dupont** je suis Pierre Dupont.

♦ **¿señora o señorita?** madame ou mademoiselle? Monsieur se traduit par **señor.** En abrégé **Sr** M., **Sra** Mme, **Srta** Mlle.

señorita y ¡contentísima! mademoiselle et ravie! (d'être célibataire). Comme les phrases interrogatives, les phrases exclamatives commencent par le signe de ponctuation renversé (ici le point d'exclamation ¡).

9 Luisa présente un de ses amis

Luisa	**Hola, Pepe. ¿Qué tal?**
Pepe	**Hola, Luisa.**
Luisa	**Pepe, éste es mi amigo Pedro.**
Pedro	**Muy bien, encantado.**
Pepe	**Mucho gusto.**
Pedro	**El gusto es mío.**

● **éste** celui-ci
● **muy bien** très bien

♦ **¿qué tal?** comment vas-tu?

éste es mi amigo Pedro voici mon ami Pedro : c'est une expression courante pour présenter quelqu'un. Les réponses peuvent être : **encantado** enchanté, **mucho gusto, el gusto es mío** le plaisir est pour moi. Vous les utiliserez indifféremment.

10 Quelles langues parles-tu?

Pepe	**¿Hablas francés?**
Alejandro	**No, no hablo francés.**
Pepe	**¿E inglés?**
Alejandro	**No, tampoco. Oye, yo hablo español ... y valenciano claro, soy de Valencia.**

● **tampoco** non plus

♦ **¿hablas francés?** parles-tu français? **Hablar** est un autre exemple de verbe du 1er groupe. Pepe s'adresse à un ami, c'est pourquoi il emploie le tutoiement **(tú) ¿hablas?**. En réponse, vous pouvez dire **sí, hablo francés** oui je parle français ou bien **no, no hablo francés** non, je ne parle pas français.

Mots clés & expressions idiomatiques

Voici la liste des mots-clés et des expressions que vous avez entendus dans les dialogues. Ils vont être largement utilisés dans les exercices qui suivent. C'est pourquoi vous devez les apprendre et les retenir.

¡hola!	bonjour, salut
¿qué tal?	comment ça va?
soy (Pierre Dupont)	je suis (Pierre Dupont)
éste es (Juan)	voici (Jean)
encantado	enchanté de faire votre connaissance
¿de dónde es usted?	d'où êtes-vous?
¿es usted de (Bilbao)	êtes-vous de (Bilbao)?
español/española	espagnol/e
¿estudiante?	étudiant?
¿qué es usted?	que faites-vous?
soy . . . de (Bilbao)	je suis . . . de (Bilbao)
francés/francesa	français/e
peluquero/peluquera	coiffeur/coiffeuse
camarero	garçon de café ou steward
trabajo ...	je travaille...
en (Air France)	à (Air France)
en (París)	à (Paris)
¿habla usted (francés)?	parlez-vous (français)?
hablo francés	je parle français

Autres mots utiles

sí	oui
no	non
y	et
con	avec
¿dónde?	où?
de acuerdo, está bien	d'accord, entendu
(muchas) gracias	merci (beaucoup)
bien, muy bien	bien, très bien
por favor	s'il vous plaît, je vous prie
aquí	ici

Mettez en pratique ce que vous avez appris

Cette rubrique a été conçue pour vous aider à maîtriser ce que vous avez appris dans les dialogues. Vous aurez à la fois besoin du livre et de la cassette pour faire ces exercices mais toutes les directives nécessaires sont données dans le livre et les réponses se trouvent à la fin de chaque chapitre.

1 Ana a interrogé Jack dans le cadre d'un sondage ; leur conversation figure ci-dessous dans le désordre. A vous de reconstituer le dialogue dans sa séquence logique. Écoutez ensuite la version enregistrée pour vérifier vos réponses.

Ana	**¿Es usted español?**
Jack	**Vale.**
Ana	**¡Hola!**
Ana	**Muchas gracias.**
Jack	**No, soy americano.**
Jack	**¡Hola!**

2 Un douanier interroge deux personnes à l'aéroport de Madrid. A partir des renseignements qui vous sont donnés ci-dessous, essayez de répondre aux questions qui leur sont posées. Inscrivez les réponses, puis écoutez la cassette sur laquelle vous entendrez le dialogue en entier.

José García espagnol, de Madrid, professeur.
Françoise Martin fiancée de José, française, coiffeuse, de Toulouse, travaille à Madrid.

A

Aduanero	**¿Nombre, por favor?**
José _____	
Aduanero	**¿Qué es usted?**
José _____	
Aduanero	**¿Nacionalidad?**
José _____	
Aduanero	**¿De dónde es usted?**
José _____	

B

Aduanero	¿**Nacionalidad?**
Françoise _____	
Aduanero	¿**Nombre, por favor?**
Françoise _____	
Aduanero	¿**Señora o señorita?**
Françoise _____	
Aduanero	¿**Qué es usted?**
Françoise _____	
Aduanero	¿**De dónde es?**
Françoise _____	
Aduanero	¿**Trabaja usted aquí?**
Françoise _____	

3 Regardez les quatre dessins ci-dessous et utilisez l'expression ¿**es usted . . .?** pour demander à chaque personnage quel métier il exerce. Écoutez ensuite la cassette.

A	B	C	D

4 Pour faire cet exercice, vous devez tout d'abord écouter la cassette qui vous donne la description de quatre personnes. Écoutez le passage plusieurs fois afin de vous assurer que vous avez bien compris. Puis cochez les cases « vrai » **verdad** ou « faux » **mentira** en regard de chaque affirmation. (Réponses p. 19)
Vous allez découvrir un mot nouveau : **pero** qui signifie mais

		Verdad	Mentira
a	Jaime est de Valence	☐	☐
b	Maria est espagnole	☐	☐
c	Elle est de Valence	☐	☐
d	Cristina est coiffeuse	☐	☐
e	Elle est de Valence	☐	☐
f	Bill est écossais	☐	☐
g	Il est coiffeur	☐	☐
h	Il travaille à Manchester	☐	☐

5 Vous allez entendre maintenant six personnes vous dire d'où elles viennent. Pouvez-vous retranscrire ci-dessous les informations qu'elles vous donnent? Si vous le jugez utile, écoutez le passage plusieurs fois avant de faire l'exercice.

a —————— **Miguel** ————————————————————

b —————— **Laura** ————————————————————

c —————— **Jim** —————————————————————

d —————— **Isabel** ———————————————————

e —————— **Jaime** ————————————————————

f —————— **Lucy** ————————————————————

Revenez en arrière et vérifiez vos réponses.

Grammaire

Le verbe « ser »

Il existe deux verbes pour traduire le verbe être en espagnol : **ser** et **estar.** Dans ce chapitre, vous n'avez vu que des exemples du verbe être traduit par **ser** : ¿**eres español? soy azafata, soy de Valencia.**
Comme vous le savez maintenant, l'espagnol n'utilise pas les pronoms personnels devant les verbes conjugués. Nous vous les donnons ici mais ils ne figureront plus dans les chapitres ultérieurs.

Présent de l'indicatif

yo soy	je suis	**nosotros somos**	nous sommes
tú eres	tu es	**vosotros sois**	vous êtes (pluriel de tutoiement)
él es	il est	**ellos son**	ils sont
ella es	elle est	**ellas son**	elles sont
Vd. es	vous êtes	**ustedes son**	vous êtes (pluriel de vouvoiement)

Les emplois de **ser** :

a Lorsque vous dites quelle est votre profession :
       soy ingeniero je suis ingénieur

b Lorsque vous dites qui vous êtes :
       soy María je suis Marie

c Lorsque vous indiquez votre origine :
       soy francés je suis Français
       soy de Londres je suis de Londres

Les verbes espagnols peuvent être classés en trois groupes :

- Premier groupe : les verbes en **-ar** : **hablar** parler.
- Deuxième groupe : les verbes en **-er** : **comer** manger.
- Troisième groupe : les verbes en **-ir** : **vivir** vivre.

Le présent de l'indicatif des verbes du premier groupe

HABLAR   parler

yo hablo	je parle	**nosotros hablamos**	nous parlons
tú hablas	tu parles	**vosotros habláis**	vous parlez (pluriel de tutoiement)
él habla	il parle	**ellos hablan**	ils parlent
ella habla	elle parle	**ellas hablan**	elles parlent
Vd. habla	vous parlez	**ustedes hablan**	vous parlez (pluriel de vouvoiement)

Exercice

Voici un autre verbe dont l'infinitif est en **-ar** : **estudiar** étudier. Pouvez-vous le conjuguer au présent de l'indicatif ? (Réponses p. 19)

Les genres

a)   un nom masculin terminé par **o** donnera un nom féminin en **a** :
el sevillano le sévillan
la sevillana la sévillanne

b)   lorsqu'un nom masculin se termine par une consonne, son féminin se forme en ajoutant un **a** :
el profesor le professeur (homme) → **la profesora** le professeur (femme)
el francés le français → **la francesa** la française

c)   si le nom se termine par un **e,** il a la même terminaison au masculin et au féminin :
el canadiense le canadien
la canadiense la canadienne

Lire & comprendre

Le court passage ci-dessous reprend une partie du vocabulaire que vous avez appris dans ce premier chapitre. Lisez-le avant de répondre en français aux questions ci-dessous. (Réponses p. 19).

Pepe es de Sevilla, es sevillano. Trabaja en Valencia, es profesor de inglés y habla inglés y valenciano también. Juanita es de Corella. Es azafata y trabaja en Iberia. Habla francés y español. Teresa es estudiante de inglés.

a D'où vient Juanita ? _____

b Quelles langues parle-t-elle ? _____

c Quelle est sa profession ? _____

e Où Pepe travaille-t-il ? _____

f Que fait-il ? _____

g Quelle langue Teresa apprend-elle ? _____

Le saviez-vous ? ??? ? ?

« Señor, Señora, Don, Doña »...

Les Espagnols utilisent fréquemment **señor, señora** et **señorita** devant le nom de famille : Exemple : **señor Escribano, señora García** mais ils emploient aussi ces mots pour attirer l'attention de quelqu'un : **¡señor, aquí!** par ici, Monsieur ; **Buenos días, señora** bonjour madame. Il vous arrivera d'entendre également **don** et **doña** (en abrégé : **D.** et **Dª** sur les enveloppes). Ces formules expriment le respect vis-à-vis des personnes plus âgées ou des notables et s'emploient devant le prénom seul : **don Carlos, doña María** ou devant le nom complet : **don Serafín Cuesta Calvo.** Lorsque vous libellez une adresse sur une enveloppe, il convient d'écrire **señor, señora** ou **señorita** (en abrégé) devant **don** ou **doña** (en abrégé seulement) Exemple : **Sr. D. Serafín Cuesta Calvo.**

Les noms de famille

Vous serez peut-être surpris de constater que les Espagnols ont deux noms de famille, José G. Escribano Peréz n'est pas M. Peréz mais M. Escribano Pérez ou M. Escribano. La raison en est la suivante : en Espagne, une femme conserve son nom de jeune fille lorsqu'elle se marie ; de ce fait les enfants portent le nom de famille de chacun des parents bien qu'ils n'utilisent souvent que le nom de famille du père toujours mentionné en premier.

Bien qu'officiellement et légalement les femmes puissent conserver leur nom de jeune fille, on les appelle le plus souvent par le nom de famille de leur mari précédé de **de : señora de Sánchez** ou **María Gomez** (nom de jeune fille) **de Sánchez.**

A vous de parler

C'est maintenant à votre tour de parler en utilisant le vocabulaire appris dans ce chapitre. Vous allez travailler uniquement avec votre lecteur de cassettes et n'utiliserez votre livre que pour vérifier un point précis. Dans ces exercices vous allez prendre part à des conversations. Un présentateur vous suggérera ce que vous devez dire. Après chacune de ses phrases, arrêtez la cassette et dites à votre tour la phrase à haute voix en espagnol. Puis remettez le lecteur de cassettes en marche, assurez-vous que votre réponse est correcte et continuez l'exercice. Il vous faudra peut-être un certain temps pour maîtriser ce type d'exercice mais, comme nous l'utiliserons tout au long de ce cours, vous vous familiariserez très vite avec sa technique.

Dans ce premier exercice, imaginez que vous êtes une femme et que vous êtes dans un bar en Espagne. Votre voisin de table engage la conversation. Le présentateur va vous souffler vos répliques en français. A vous de les traduire.

Et, pour terminer, n'oubliez pas de réécouter tous les dialogues sans consulter votre livre.

Réponses

Mettez en pratique ce que vous avez appris : Exercice **4** (a) mentira (b) verdad (c) mentira (d) mentira (e) verdad (f) mentira (g) verdad (h) verdad.
Grammaire : estudio, estudias, estudia, estudiamos, estudiáis, estudian.
Lire et comprendre : (a) de Corella (b) le français et l'espagnol (c) elle est hôtesse de l'air (d) à Valence (e) il est professeur d'anglais (f) l'anglais.

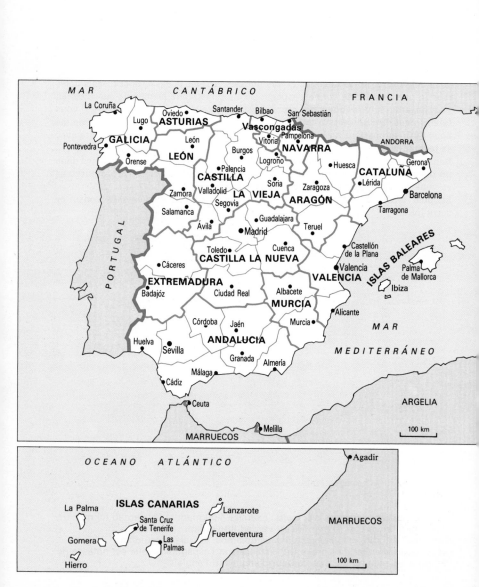

el abc de los números

Vous allez apprendre

- à comprendre des questions sur vous-même, votre famille et votre entourage et à y répondre
- à compter de un à dix
- les caractéristiques essentielles de la prononciation espagnole.

Avant de commencer

N'oubliez pas que la première étape qui consiste à écouter globalement les dialogues est importante même si vous avez des difficultés à comprendre tout ce qui est dit. Dans l'apprentissage d'une langue, il est important de se fier à son intuition et de se fonder sur quelques mots connus pour déduire l'ensemble d'un texte.

Dialogues

Dialogues

1 Nord, nord-est, sud, sud-est ?

John	¡Hola!
Luisa	¡Hola!
John	¿Cómo te llamas?
Luisa	Luisa.
John	¿Eres de Sevilla o de Barcelona?
Luisa	De Sevilla. Soy de Sevilla.
John	¿Dónde está Sevilla?
Luisa	Está en el sudeste.
John	Y tú,Pepe ¿de dónde eres?
Pepe	Soy de Bilbao.
John	¿Dónde está Bilbao?
Pepe	Bilbao está en el noroeste.

- **sudeste** sud-est
- **sudoeste** sud-ouest
- **nordeste** nord-est
- **noroeste** nord-ouest

▶ **¿cómo te llamas?** comment t'appelles-tu ? Si l'on vous vouvoie, on vous dira **¿cómo se llama usted?** comment vous appelez-vous ? Dans les deux cas, vous répondrez **me llamo Jean-Pierre Dubois** je m'appelle Jean-Pierre Dubois.

▶ **¿dónde está Sevilla?** où est Séville ? Vous remarquerez que Pepe utilise ici le verbe **estar** pour traduire être. Les deux verbes **ser** et **estar** correspondent tous les deux au verbe être mais s'emploient dans des cas différents (voir p. 28). Pour l'instant, contentez-vous de noter dans ce chapitre les exemples de phrases avec **estar**.
Apprenez les quatre points cardinaux dans la rubrique « Mots-clés et expressions idiomatiques » p. 25.

2 Marié ou célibataire ?

Pepe	¡Hola Pablito! ¡Hola guapa! Pablito, ¿es tu novia?
Pablo	¡No!
Pepe	¿De verdad?
Pablo	De verdad, ¡hombre! y tú, ¿tienes novia?
Pepe	¡Uy! yo, yo no tengo novia, hijo. Yo estoy casado.

- **la novia** la petite amie, la fiancée
- **el novio** le petit ami, le fiancé
- **de verdad** vraiment

¡guapa! expression familière employée à l'adresse des jeunes filles : mignonne ma jolie. **¡Hijo!** s'emploie de la même manière pour traduire « mon vieux ».

▶ **¿tienes novia?** as-tu une petite amie ? **Tener** qui traduit avoir dans le sens de posséder est le premier exemple que vous rencontrez de verbe du 2e groupe, c'est un verbe irrégulier d'emploi très courant ; apprenez donc

sa conjugaison au présent de l'indicatif de manière à la savoir sur le bout du doigt! (voir p. 29) Remarquez également que l'article indéfini **una** est omis devant **novia**.
yo estoy casado(a) je suis marié(e).

3   As-tu des enfants?

Pablo	**¿Tienes hijos?**
Pepe	**Sí, dos.**
Pablo	**¿Son chicos o chicas?**
Pepe	**Chico y chica.**
Pablo	**¿Cuántos años tienen?**
Pepe	**El chico cinco, la chica dos.**

- **dos** deux
- **el chico** le garçon
- **la chica** la fille
- **cinco** cinq

◗ **¿tienes hijos?** as-tu des enfants? Au singulier, **hijo** signifie fils alors qu'au pluriel **hijos** a deux sens : fils et enfants. Si Pepe n'avait pas d'enfants, il dirait **no tengo hijos**.
◗ **¿cuántos años tienen?** quel âge ont-ils? (littéralement : combien d'années ont-ils?) Vous remarquerez que **cuántos** est un adjectif qui s'accorde en genre et en nombre avec le nom auquel il se rapporte (ici **años**) :
¿cuánto tiempo? combien de temps?
¿cuántas chicas tiene? combien de filles avez-vous?

4   Je n'ai pas un sou

Pepe	**Dámaso ¿cuánto dinero tienes?**
Dámaso	**No sé, un momento. Bueno tengo mil pesetas, ¿por qué?**
Pepe	**¡Porque yo no tengo ni un duro!**

◗ **¿cuánto dinero tienes?** combien d'argent as-tu?
mil pesetas mille pesetas
Les noms singuliers qui se terminent par une voyelle prennent un **s** au pluriel : **peseta → pesetas, chico → chicos**.
Si le nom singulier se termine par une consonne, son pluriel se forme en ajoutant **-es**. Par exemple, **ciudad** la ville, que vous avez déjà appris, donne **ciudades** au pluriel.
Tous les chiffres de 1 à 10 figurent dans la rubrique « Mots-clés et expressions idiomatiques », p. 25.
no sé, un momento je ne sais pas, un instant. **Saber** savoir est un verbe irrégulier. Voir la « Grammaire » du chapitre 8, p. 113.

5 Dans un grand magasin

Pepe	**Por favor, ¿venden ustedes cosméticos?**
Dependiente	**En la sección de perfumería.**
Pepe	**¿Dónde está?**
Dependiente	**En la planta baja.**
Pepe	**¿Y dónde venden los juguetes para los niños?**
Dependiente	**Eso está todo en la tercera planta.**

- **los cosméticos** les produits de beauté • **la dependiente** la vendeuse
- **la sección** le rayon • **la perfumería** la parfumerie
- **en la planta baja** au rez-de-chaussée • **el juguete** le jouet
- **el niño** l'enfant, le garçon • **eso** ceci • **todo** tout
- **en la tercera planta** au troisième étage

6 Pouvez-vous parler plus lentement ?

Luisa	**¿Cómo se llama usted?**
Suzanne	**No comprendo. Lo siento despacio por favor.**
Luisa	**Nombre . . .**
Suzanne	**¡Ah! Susanne Brun . . .**
Luisa	**¿Es usted de París?**
Suzanne	**No, no soy de París. Soy de Burdeos.**

- **despacio** lentement

♦ **no comprendo** je ne comprends pas.
Expression capitale pour des étrangers !
tout comme : ♦ **lo siento** je regrette.
Du verbe irrégulier **sentir** regretter.
Notez l'emploi de **no** devant le verbe
à la forme négative.

Mots clés & expressions idiomatiques

Voici les mots et expressions idiomatiques les plus importants employés dans ce chapitre. Apprenez-les et exercez-vous à les prononcer à haute voix.

¿dónde está Sevilla?	où est Séville ?
¿cómo se llama usted?	comment vous appelez-vous ?
me llamo . . .	je m'appelle...
no comprendo	je ne comprends pas
no sé	je ne sais pas
¿cuántos años tiene?	quel âge avez-vous ?
tengo (diez) años	j'ai (dix) ans
¿está casado/casada?	êtes-vous marié(e) ?
¿tiene novio/novia?	avez-vous un(e) ami(e) ?
¿tiene hijos?	avez-vous des enfants ?
sí, tengo hijos	oui, j'ai des enfants
sí, tengo tres hijos	oui, j'ai trois enfants
lo siento	je regrette
despacio, por favor	lentement, je vous prie
adiós	au revoir

Les chiffres de 1 à 10

uno, dos, tres	un, deux, trois
cuatro, cinco, seis	quatre, cinq, six
siete, ocho, nueve	sept, huit, neuf
diez	dix

Les points cardinaux

el norte	le nord
el sur	le sud
el este	l'est
el oeste	l'ouest

Mettez
en pratique
ce que vous avez appris

Et voici maintenant quelques exercices pour lesquels vous aurez besoin du livre et de la cassette. Ces exercices oraux sont conçus pour vous aider à réviser ce que vous avez appris dans les dialogues et à vous exprimer à votre tour. Commencez par lire les indications données dans votre livre.

1 Écoutez sur votre cassette une conversation qui reprend le vocabulaire du dialogue 1. Puis lisez les affirmations ci-dessous et cochez les cases vrai **verdad** ou faux **mentira** selon le cas. Nous attirons votre attention sur deux mots nouveaux : **también** également, tout aussi bien et **¡hombre!** (littéralement : homme) fréquemment employé en espagnol pour exprimer la surprise. (Réponses p. 32)

		Verdad	Mentira
a	**San Sebastián está en el norte de España**	☐	☐
b	**Huelva está en el sur de España**	☐	☐
c	**Badajoz está en el sur.**	☐	☐
d	**Valencia está en el oeste de España**	☐	☐
e	**Alonso es de Sevilla**	☐	☐

2 Quatre personnes vont se présenter à vous. Écoutez-les attentivement. Puis inscrivez le prénom **(Julio, Juan, Pili** ou **Mari Carmen)** qui correspond à chaque description. (Réponses p. 32)

a _____
sevillana, soltera, tiene novio

b _____
casado, dos hijas, una de dos años, otra de cinco

c _____
soltero, tiene amiga en Valencia

d _____
de Corella, tiene novio de Corella

3 Écoutez la cassette et inscrivez au fur et à mesure les articles vendus aux différents étages d'un grand magasin madrilène **El Corte Inglés.** Vous allez entendre deux mots nouveaux : **el pan** le pain et **la planta sótano** le sous-sol. (Réponses p. 32)

EL CORTE INGLÉS

TERCERA PLANTA

PLANTA BAJA

PLANTA SÓTANO

4 Vous allez entendre des chiffres compris entre un et dix. Écrivez-les ci-dessous en toutes lettres. (Réponses p. 32)

a _____

b _____

c _____

d _____

e _____

f _____

Grammaire

Le verbe « estar »

Voici le présent de l'indicatif du verbe **estar** qui traduit, comme **ser,** le verbe être français :

estoy   estamos
estás   estáis
está   están

Comme vous l'avez vu, **ser** est employé pour décrire les qualités inhérentes à une personne ou à une chose et pour exprimer un état permanent : **soy Ana** je suis Anne, **soy inglés** je suis anglais, **soy peluquero** je suis coiffeur.

Estar, lui, s'emploie pour décrire une localisation dans l'espace ou dans le temps, ou une situation, un état temporaire :

París está en Francia	Paris est en France
¿dónde está Juan?	où est Jean?
¿dónde está la maleta?	où est la valise?
estoy casado	je suis marié

Estar s'emploie aussi avec le participe présent pour exprimer une action en train de se faire : **estoy trabajando** je suis en train de travailler. Nous y reviendrons dans un chapitre ultérieur.

Enfin, notez que certains adjectifs s'emploient toujours avec **ser** et d'autres avec **estar.** Voici quelques exemples, essayez de les retenir :

ser feliz heureux
ser posible possible
ser necesario nécessaire
ser loco fou, aliéné
mais :
estar contento content
estar solo seul
estar satisfecho satisfait
estar loco fantasque

Le présent de l'indicatif des verbes du deuxième groupe

VENDER vendre

vendo	**vendemos**
vendes	**vendéis**
vende	**venden**

TENER avoir (verbe irrégulier)

tengo	**tenemos**
tienes	**tenéis**
tiene	**tienen**

N'oubliez pas que le verbe **tener** qui signifie avoir s'emploie dans l'expression **¿cuántos años tiene?** quel âge avez-vous?

Le pluriel des noms

● On ajoute un **s** aux noms qui se terminent par une voyelle au singulier.
el amigo l'ami → **los amigos**
la novia la petite amie → **las novias**

● Si, au singulier, le nom se termine par une consonne on ajoute **-es** au pluriel :
la ciudad la ville → **las ciudades**
el profesor le professeur → **los profesores**

● Si le singulier se termine par un **z,** le pluriel se forme en **-ces** (le **z** se transformant en **c**) :
una vez une fois → **unas veces**
el lápiz le crayon → **los lápices**

Lire & comprendre

Voici une liste d'articles en vente à différents rayons du **Corte Inglés**.

EL CORTE INGLÉS

TERCERA PLANTA	SOMBREROS, PANTALONES
SEGUNDA PLANTA	PAN, CAFÉ, VINO
PRIMERA PLANTA	JUGUETES
PLANTA BAJA	PERFUMERÍA
PLANTA SÓTANO	SERVICIOS

Vocabulaire

el sombrero	le chapeau
los pantalones	les pantalons
el café	le café
el vino	le vin
los servicios	les toilettes

Regardez le tableau ci-dessus, et dites si les affirmations suivantes sont vraies ou fausses. (Réponses p. 32)

		Verdad	Mentira
a	Los sombreros están en la planta baja.	☐	☐
b	El vino está en la planta sótano.	☐	☐
c	El café está en la planta baja.	☐	☐
d	Los servicios están en la planta sótano.	☐	☐
e	Los juguetes están en la planta baja.	☐	☐

Le saviez-vous ? ? ? ? ? ? ?

L'alphabet espagnol compte 28 lettres : le « w » n'y figure pas mais trois lettres y ont leur entrée propre : le **ch,** le **ll** et le **ñ.**

Les voyelles

a, i, o se prononcent comme leur équivalent français.
e se prononce comme le « é » français de *dé.*
u se prononce « ou » comme dans *loup.*
y (i griega) se prononce comme un « i » : **Pepe y Luisa**
ou comme un « ye » : **ayer**

Les consonnes

b, c, d, f, g, h, k, l, m, n, p, q, r, s, t se prononcent comme en français.
Remarques :
— Le **h** est toujours muet et ne se trouve jamais après un **p** ou un **t.**
— Le **j** est un son particulier appelé **jota** et qui se rapproche du ch guttural allemand : J.S Bach.
— Le **r** est toujours roulé.
— Le **s** se prononce comme le double « s » français de cassé.
— Le **v** se prononce comme le « b ».
— Le **x** placé devant une consonne se prononce **cs : extraordinario.** Placé devant une voyelle, il se prononce **gs : exacto.**
— Le **z** n'existe que devant le **a, o, u : zapato, zorro, zumo** et il se prononce en plaçant la langue entre les dents.
— Le **ch** correspond au « tch » français de Tchèque.
— Le **ll** correspond au « l » mouillé français de habillé.
— Le **ñ** surmonté du signe appelé **tilde,** est l'équivalent du « gn » français de Espagne.
— Seules trois consonnes peuvent être redoublées : **c, n, r diccionario** (le **cc** se prononce **kse), connotación, perro.**

A vous de parler

1 Vous venez de rencontrer un Espagnol qui vous pose des questions sur vous-même. Le présentateur vous soufflera vos réponses. Vous utiliserez les expressions : **soy de, estoy casado,** etc.

2 Vous faites des courses dans un grand magasin : vous allez demander à l'une des vendeuses où vous pouvez trouver certains articles. Vous emploierez : **¿dónde? ¿dónde está? ¿venden?**

3 Miguel va vous poser des questions très simples. Attention à la quatrième question : **¿tiene usted hermanos o hermanas?** avez-vous des frères et sœurs ? Ne vous inquiétez pas si vous faites des erreurs, l'important est surtout que vous compreniez ses questions et que vous essayiez d'y répondre.

Une autre de ses questions concerne votre travail, cherchez la réponse dans un dictionnaire ou, mieux, demandez à une personne qui parle l'espagnol.

Réponses

Mettez en pratique ce que vous avez appris : Exercice **1** (a) verdad (b) verdad (c) verdad (d) mentira (e) mentira. Exercice **2** (a) Mari Carmen (b) Juan (c) Julio (d) Pili. Exercice **3** (a) la planta baja: cosméticas (b) la tercera planta: juguetes (c) la planta sótano: pan. Exercice **4** diez, siete, cuatro, ocho, tres, cinco.
Lire et comprendre : (a) mentira (b) mentira (c) mentira (d) verdad (e) mentira.

en el hotel

3

Vous allez apprendre

- à décrire des lieux
- à faire des réservations dans un hôtel ou un camping
- à compter jusqu'à 20
- quelques caractéristiques des hôtels et campings espagnols.

Avant de commencer

Il arrive souvent qu'au cours d'une conversation on soit amené à demander des renseignements sur un sujet ou un autre. Dans l'apprentissage d'une langue étrangère, il est important de développer sa capacité à saisir l'essentiel de ce qui est dit ; bien trop souvent, les gens sont déroutés car ils ne comprennent pas l'intégralité des propos tenus, or en fait, ils comprennent suffisamment pour pouvoir faire face aux situations de la vie courante.

Dialogues

Dialogues

1 La maison de Pepe

Maria	¿Dónde vives, en una casa o en un piso?
Pepe	En una casa, tengo una casa.
Maria	¡Hombre, qué bien! ¿Y es una casa grande, con jardín?
Pepe	Pues sí, es grande, tiene ocho habitaciones y hay cuatro dormitorios . . .,
Maria	¡Qué grande! ¿No?
Pepe	Pues sí, pero el jardín no es grande, en fin la casa tiene jardín con muchas flores: rosas, claveles . . .

- **la casa** la maison
- **el piso** l'appartement
- **grande** grand
- **el jardín** le jardin
- **la habitación** la pièce
- **el dormitorio** la chambre
- **la flor** la fleur
- **la rosa** la rose
- **el clavel** l'œillet

¿dónde vives, en una casa o en un piso? où habites-tu, dans une maison ou dans un appartement? **Vivir** vivre est un verbe du troisième groupe. Sa conjugaison figure p. 42. **¿Dónde vives/vive?** où habites-tu/habitez-vous? est une question que l'on vous posera souvent. Vous y répondrez par **vivo en . . .** j'habite à/en... ou par **vivo aquí** j'habite ici.

2 Où sont les toilettes?

Juan	Por favor, ¿dónde están los servicios?
Dependiente	Hay servicios en todas las plantas menos en la planta baja.
Juan	¿Para señoras y para caballeros?
Dependiente	Sí.
Juan	Muchas gracias.
Dependiente	De nada.

- **para** pour
- **el caballero** le monsieur
- **muchas gracias** merci beaucoup

♦ **¿por favor, dónde están los servicios?** s'il vous plaît, où sont les toilettes?

♦ **hay servicios en todas las plantas** il y a des toilettes à tous les étages **menos en la planta baja** sauf au rez-de-chaussée

3 Y a-t-il une pharmacie à proximité ?

Pepe	¿Hay una farmacia por aquí cerca?
Alejandro	Sí, está al lado.
Pepe	¿A la derecha o a la izquierda?
Alejandro	A la derecha.
Pepe	Gracias.

● **al lado** à côté, à proximité

◆ **¿hay una farmacia por aquí cerca?** y a-t-il une pharmacie à proximité, près d'ici ? Phrase très utile et sur le modèle de laquelle vous pouvez en calquer autant que vous voulez en substituant le mot **farmacia** par ce que vous cherchez : **¿hay un bar por aquí?** y a-t-il un bar près d'ici ? ou **¿hay un banco por aquí?** y a-t-il une banque près d'ici ?

◆ **¿a la derecha o a la izquierda?** à droite ou à gauche ? Deux mots essentiels pour ne pas se perdre ! Retenez également **al final de la calle** au bout de la rue ; **todo recto** tout droit ; **en el cruce** au carrefour.

4 Du vin et des cigarettes ?

Pepe	¿Tienes agua mineral?
Miguel	Sí, ¿la prefieres con gas o sin gas?
Pepe	Con gas.
Miguel	Pero si tú quieres, hay también vino y Coca-Cola aquí en la mesa.
Pepe	¿Y tienes cigarrillos?
Miguel	Si, hay también cigarrillos y una caja de cerillas, aquí . . .

● **en la mesa** sur la table
● **el cigarrillo** la cigarette
● **la caja** la boîte
● **la cerilla** l'allumette

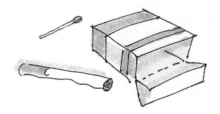

¿la prefieres con gas o sin gas? tu la préfères gazeuse ou non gazeuse ? Vous entendrez aussi la forme de politesse : **¿la prefiere usted . . .?** vous la préférez...? **Preferir** est un autre verbe du troisième groupe, mais c'est un verbe irrégulier que nous verrons dans la « Grammaire » de ce chapitre.

5   Dans le hall d'un hôtel

Turista	**Buenas tardes, ¿tiene una habitación libre?**
Recepcionista	**Sí, ¿cómo la prefiere, sencilla o de matrimonio?**
Turista	**De matrimonio, por favor.**
Recepcionista	**Lo siento, pero de matrimonio no tengo. Sólo hay habitaciones con dos camas.**
Turista	**Bueno, vale.**
Recepcionista	**¿Para cuántas noches?**
Turista	**Para una, solamente para una.**
Recepcionista	**¿Cómo la prefiere, con ducha o sin ducha?**
Turista	**¿Tiene con baño?**
Recepcionista	**No.**
Turista	**Bueno, pues entonces con ducha.**

- **la recepcionista** la réceptioniste
- **sencilla** simple, ici pour une personne
- **de matrimonio** avec un grand lit
- **bueno** bien
- **solamente** seulement
- **la ducha** la douche
- **sin** sans
- **el baño** le bain
- **entonces** alors

♦ **buenas tardes** bonsoir (littéralement bon après-midi) est employé l'après-midi et en début de soirée. Le matin on dira **buenos días** bonjour, et en fin de soirée ou la nuit **buenas noches** bonne nuit. Notez que dans ces trois expressions, le nom est toujours au pluriel et qu'elles sont souvent abrégées en **¡Buenas!**

♦ **¿tiene una habitación libre?** avez-vous une chambre ?
habitación signifie à la fois pièce et chambre d'hôtel.
¿cómo la prefiere? comment la préférez-vous ?
hay habitaciones con dos camas il y a des chambres à deux lits.

♦ **¿para cuántas noches?** pour combien de nuits ? **Cuántas** est ici au féminin pluriel car il est placé devant un nom féminin pluriel.

6 Arrivée dans un camping

Pepe	¿Dónde podemos acampar?
Empleada	Al final hay mucho sitio libre. ¿Qué traen?
Pepe	¿Cómo?
Empleada	¿Traen ustedes coche y tienda?
Pepe	Ah coche y caravana.
Empleada	¿Cuántas personas son?
Pepe	Tres adultos y cuatro niños.
Empleada	¿Qué edad tienen los niños?
Pepe	Uno tiene más de catorce años y los otros son de . . . menos de . . . son de ocho, cinco y dos años.
Empleada	Entonces son cuatro adultos y tres niños.
Pepe	Vale.
Empleada	¿Me deja el pasaporte o el carnet de campista?
Pepe	Aquí tiene el pasaporte.

- **al final** au bout, à la fin
- **el sitio** l'endroit
- **el coche** la voiture
- **la tienda** la tente, le magasin
- **la caravana** la caravane
- **la persona** la personne
- **catorce** quatorze
- **ocho** huit
- **el adulto** l'adulte

¿dónde podemos acampar? où pouvons-nous camper?

¿qué traen? qu'avez-vous avec vous? (littéralement : que portez-vous?)

▸ **¿cómo?** comment? Lorsque vous ne comprenez pas, vous faites répéter votre interlocuteur en disant **¿cómo?**

▸ **¿qué edad tienen?** quel âge ont-ils? c'est une autre manière de dire **¿cuántos años tienen?**

más de catorce años plus de quatorze ans. Plus de se traduit par **más de ;** moins de se traduit par **menos de : menos de catorce años** moins de quatorze ans.

¿me deja el pasaporte? puis-je avoir votre passeport (littéralement : me laissez-vous votre passeport?).

aquí tiene el pasaporte voici le passeport. Retenez cette expression **aquí** (suivi d'un nom) **aquí el niño** voici l'enfant, etc.

7 Où êtes-vous logé ?

Alejandro	¿Está en un hotel o en un apartamento?
John	Estoy en un apartamento.
Alejandro	¿Qué prefiere, un hotel, un apartamento o un camping?
John	Un apartamento.
Alejandro	¿Cómo es el apartamento?
John	Pues, muy bueno. Tiene tres habitaciones, un salón y terraza. ¿Usted está en el hotel?
Alejandro	Sí, estoy en un gran hotel.
John	¿Y cómo es el hotel?
Alejandro	Pues es un hotel lujoso de cuatro estrellas.
John	Ah, pues, muy bien.

- **el apartamento** l'appartement
- **el camping** le camping
- **el salón** le salon
- **la terraza** la terrasse

¿cómo es el apartamento? comment est l'appartement ?
Apartamento est une autre traduction du mot appartement. Vous avez déjà vu **el piso** au dialogue 1.
estoy en un gran hotel je suis dans un grand hôtel. Vous connaissez aussi l'adjectif **grande** grand. Placé devant un nom au singulier — que celui-ci soit masculin ou féminin —, **grande** perd sa dernière syllabe et devient **gran**:
▶ **es una gran ciudad** c'est une grande ville. Mais **es una ciudad grande.**
es un hotel lujoso de cuatro estrellas c'est un hôtel de luxe de quatre étoiles. Nous reviendrons sur la classification des hôtels en Espagne dans la rubrique « Le saviez-vous ? ».

Mots clés & expressions idiomatiques

¿hay una farmacia por aquí?	y a-t-il une pharmacie près d'ici ?
sí, a la derecha	oui, à droite
sí, a la izquierda	oui, à gauche
¿dónde están los servicios?	où sont les toilettes ?
señoras y caballeros	toilettes (dames/hommes) dans les lieux publics
al final de la calle	au bout de la rue
¿dónde vive/vives?	où habitez-vous/habites-tu ?
vivo aquí	j'habite ici
vivo en Madrid	j'habite à Madrid
¿dónde podemos acampar?	où pouvons-nous camper ?
¿tiene una habitación libre?	avez-vous une chambre libre ?
¿qué prefiere/prefieres?	que préférez-vous/préfères-tu ?
¿sencilla o de matrimonio?	pour une ou deux personnes ?
¿para tres noches?	pour trois nuits ?
aquí (tiene) el pasaporte	voici le passeport
¿cómo es el hotel?	comment est l'hôtel ?

Autres mots utiles

¿cómo?	comment ?
sin	sans
bueno	bien
para	pour

Les nombres de onze à vingt

once	onze
doce	douze
trece	treize
catorce	quatorze
quince	quinze
dieciséis	seize
diecisiete	dix-sept
dieciocho	dix-huit
diecinueve	dix-neuf
veinte	vingt

Mettez
en pratique
ce que vous avez appris

1 Écoutez la cassette et entourez sur le dessin ci-dessous les objets mentionnés par le fils de Pepe.

2 Vous allez entendre une conversation entre le réceptionniste d'un hôtel et une cliente. Cochez, parmi ces dessins, ceux qui correspondent aux prestations offertes à la cliente. (Réponses p. 46)

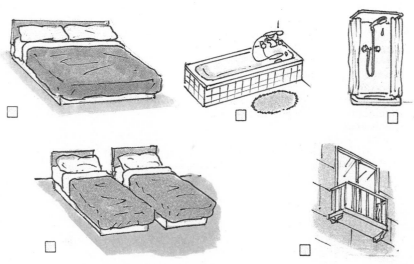

3 Écoutez les deux conversations sur votre cassette. Les clients qui sont à la réception de l'hôtel ont des exigences différentes. Établissez le rapport entre chaque client et ce qu'il ou elle demande en traçant un trait entre le personnage et les services qui lui sont offerts. (Réponses p. 46)

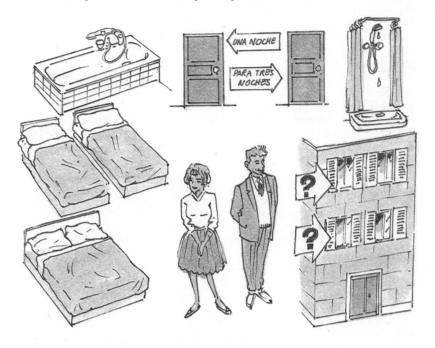

4 Vous allez entendre Maria décrire l'appartement où elle passe ses vacances. Retrouvez dans la liste ci-dessous les éléments de sa description. (Réponses p. 46)

garaje	☐
balcón con vista al mar	☐
salón	☐
cuatro dormitorios	☐
ascensor	☐
cuarto de baño	☐
cama de matrimonio	☐

5 Les mots à l'intérieur des phrases qui suivent sont dans le désordre. Pouvez-vous reconstituer le dialogue? Vérifiez vos réponses en écoutant la cassette.

« **¿libre hay sitio?**
— **mucho final hay al**
— **¿personas cuántas son?**
— **personas tres**
— **bien deja el me camping carnet de**
— **tiene lo aquí** »

Grammaire

Le présent de l'indicatif des verbes du troisième groupe

VIVIR vivre

vivo	**vivimos**
vives	**vivís**
vive	**viven**

Exercice

Escribir écrire est un autre verbe du 3ᵉ groupe. A votre tour de le conjuguer au présent de l'indicatif en suivant le modèle ci-dessus. (Réponse p. 46)

PREFERIR préférer

Ce verbe est irrégulier. Un **i** vient s'intercaler devant le **e** de la dernière syllabe du radical à toutes les personnes sauf aux première et deuxième personnes du pluriel. D'autres verbes se conjugent selon ce modèle, notez-les au fur et à mesure que vous les rencontrerez. Étudiez bien la conjugaison de **preferir,** verbe qui vous sera des plus utiles chaque fois que vous devrez faire un choix (au restaurant ou à l'hôtel par exemple).

prefiero	**preferimos**
prefieres	**preferís**
prefiere	**prefieren**

« Hay »

hay	il y a	**¿hay?**	y a-t-il?
no hay	il n'y a pas	**¿no hay?**	n'y a-t-il pas?

hay tout comme son équivalent français, il y a, est invariable :
hay una botella en la mesa   il y a une bouteille sur la table
hay dos botellas en la mesa   il y a deux bouteilles sur la table

Si vous voulez poser une question du type : y a-t-il une banque près d'ici? **¿hay un banco por aquí?,** vous devrez changer l'intonation de votre voix pour indiquer que c'est une phrase interrogative. Prêtez attention à ce changement d'intonation lorsque vous réécouterez les dialogues. Dans la langue écrite, la distinction est aisée grâce à l'emploi des points d'interrogation.

L'article indéfini

Masculin singulier : **un señor** un monsieur
Féminin singulier : **una señora** une dame
Les noms au pluriel précédés de l'article indéfini (des messieurs, des dames, des chambres) s'emploient généralement sans article en espagnol :
¿tiene habitaciones? avez-vous des chambres?
Les formes **unos, unas** suivies d'un nom : **unos señores, unas señoras** traduisent le plus souvent quelques, certain(e)s.

Remarques :
— **Uno** est l'adjectif numéral (que vous avez déjà vu) mais il traduit également le pronom indéfini (c'est-à-dire qui ne précède pas le nom mais le remplace) :
uno de mis amigos un de mes amis mais **un amigo** un ami.
— Devant un nom féminin commençant par un **a** (ou un **ha**) accentué, le **a** final de l'article **una** ne se prononce pas et peut ne pas s'écrire :
un ave un oiseau.

Lire & comprendre

Vocabulaire

la agencia inmobilaria
l'agence immobilière
el comedor
la salle à manger
la cocina amueblada
la cuisine aménagée
el teléfono
le téléphone
el garaje
le garage
el club náutico
le club nautique

AGENCIA INMOBILARIA
FERNANDEZ

Calle Princesa: vendemos casa, cuatro dormitorios, salón, comedor, terraza, jardín grande, baño, teléfono, cocina. Pesetas 5.800.000

Calle Aragón: piso, dos dormitorios, cocina amueblada, baño y ducha, garaje, salón muy grande, cerca club náutico. Pesetas 3.150.000

Calle Forti: Piso pequeño, un dormitorio, baño, cocina, salón, 5 minutos del centro. Pesetas 2.550.000

Après avoir lu cette annonce extraite d'une rubrique « Immobilier », répondez aux questions qui suivent en cochant les bonnes cases. (Réponses p. 46)

1 L'appartement de la rue Forti est :
a grand ☐ **b** joli ☐ **c** petit ☐

2 Combien y a-t-il de chambres dans l'appartement de la rue Aragón ?
a trois ☐ **b** deux ☐ **c** cinq ☐

3 Parmi les logements proposés, quel est celui qui offre une salle de séjour et une salle à manger séparées ?
a rue Princesa ☐ **b** rue Aragón ☐ **c** rue Forti ☐

Le saviez-vous ?????

Les campings

La plupart des campings se trouvent le long des côtes, notamment sur la Costa Brava. Les campings situés à l'intérieur du pays sont plus rares. En dehors des campings aménagés, il est possible de faire du camping libre à condition d'obtenir la permission du propriétaire du terrain ou des autorités compétentes. En tout état de cause, il est interdit d'installer plus de trois ou quatre tentes sur un même lieu lorsqu'on fait du camping libre et le temps de séjour est limité. Il existe une réglementation en vigueur à ce sujet. De la même manière, les prix et les catégories des campings sont fixés par la **Dirección general de empresas y actividades turísticas.** Les campings sont assez bien aménagés et ils sont classés en quatre catégories : L = luxe, 1, 2 ou 3, ce qui laisse un choix très large.

Les hôtels

Pour faire votre choix parmi la multitude d'hôtels et de pensions existant en Espagne, adressez-vous à l'Office du Tourisme local qui vous fournira une liste de toutes les possibilités d'hébergement. Les hôtels sont classés en cinq catégories allant de 1 à 5 étoiles selon les services proposés. Les pensions de famille **pensiones** sont divisées en trois catégories. On les appelle également **fonda** ou **casa de huéspedes** et, en règle générale, elles présentent l'avantage d'être peu onéreuses et relativement centrales.

Il existe en outre un réseau hôtelier créé par le Secrétariat d'État au Tourisme dans des régions d'intérêt touristique. Ce réseau comprend trois types d'établissements : **los paradores** les paradors qui sont surtout des monuments historiques restaurés et équipés de tout le confort d'un hôtel de première catégorie mais ils sont relativement chers ; **los albergues de carretera** sont des hôtels modernes placés à proximité des grands axes routiers et qui offrent à l'automobiliste une halte de bonne qualité ; il y a enfin **los refugios** qui sont des chalets situés dans la campagne ou en montagne.

Tous les prix fixés officiellement sont affichés dans la chambre ; ils comprennent le prix de la chambre par nuit. Le petit déjeuner est compté en supplément.

Hôtels et campings sont tenus par la loi de vous fournir des fiches de réclamation **hojas de reclamaciones,** si vous en faites la demande. Vous pouvez remplir ces fiches, elles seront examinées avec le plus grand soin.

1 Le patio du parador « Vía de la Plata » à
Merida.

2 Le parador « Marqués de Villena » à
Alarcón.

3 L'intérieur du parador « Vía de la Plata ».

A vous de parler

Vous êtes dans le hall d'un hôtel et vous désirez une chambre pour la nuit. Expliquez ce que vous souhaitez en reprenant les indications fournies par le présentateur. Vous mettrez ainsi en pratique tout le vocabulaire nécessaire pour effectuer une réservation.

¡ la cuenta por favor !

4

Vous allez apprendre

- à comprendre des questions sur vos goûts et vos préférences
- à commander des boissons et des repas
- à compter de 20 à 100
- les horaires des restaurants, bars et cafés espagnols.

Avant de commencer

Dans la mesure du possible, essayez de lire les dialogues à voix haute ; en effet, il vous sera plus facile de dire les mots correctement si vous les avez déjà prononcés. Rappelez-vous que vous n'êtes pas obligé de faire tout le chapitre en une séance ; en fait, le meilleur conseil que l'on puisse donner à des débutants est de travailler régulièrement : dix minutes par jour valent mieux qu'une heure par semaine. Avant d'aller plus loin reprenez les exercices des chapitres précédents pour bien maîtriser ce que vous avez déjà appris.

Dialogues

Dialogues

---

1 A qui est-ce?

Pepe	¿Cuánto dinero hay aquí en la mesa?
Maria	Cincuenta y cinco pesetas.
Pepe	Este dinero ¿de quién es?
Maria	¡Tuyo, hombre!

* **el dinero** l'argent
* **cincuenta y cinco** cinquante-cinq
* **tuyo** le tien, à toi

▸ **¿de quién es?** à qui est-ce? Nous attirons votre attention sur les différentes façons de poser les questions que vous rencontrerez tout au long de ce chapitre. Elles seront reprises dans la rubrique « Mots-clés et expressions idiomatiques » ainsi que dans la « Grammaire » p. 55.

---

2 L'addition, s'il vous plaît!

Pepe	Señorita, por favor, ¿cuánto es todo?
Camarera	¿Cómo dice, señor?
Pepe	¡La cuenta, por favor!
Camarera	Sí, ahora mismo ... Son ... trescientas cuarenta pesetas en total.

* **la camarera** la serveuse
* **la cuenta** l'addition
* **ahora mismo** tout de suite
* **trescientas cuarenta** trois cent quarante (pesetas)

¿cómo dice? comment dites-vous? Il s'agit là d'une variante de **¿cómo?** comment?

---

3 Combien vaut un « duro »?

John	¡Oiga! esta moneda ¿qué es, cuánto vale?
Pepe	Es un duro, son cinco pesetas.
John	Ah, ¿y esta grande?
Pepe	Esta es una moneda de cinco duros, de 25 pesetas...

48

- **la moneda**   la pièce de monnaie
- **el duro**   la pièce de cinq pesetas (communément appelée **duro**)

▶ **¡oiga!** s'il vous plaît, dites-moi (littéralement écoutez) : c'est la façon correcte d'attirer l'attention de quelqu'un.

▶ **¿cuánto vale?** ça vaut combien ? Il s'agit ici du verbe **valer** valoir qui est un verbe irrégulier du deuxième groupe.
son cinco pesetas: vous remarquerez qu'à la question **¿cuánto vale?** qui est au singulier on répond par un pluriel **son.** En effet le sujet réel étant au pluriel, le verbe se met aussi au pluriel. Vous noterez que pour exprimer une quantité, on emploie toujours le verbe **ser.**

---

4   Attention, l'eau n'est pas potable !

Teresa   **¡Ay! ¡qué sed tengo! voy a beber . . .**
Carmen   **Sí, pero de esta agua no,**
            no es potable, vamos enfrente
            a este kiosko y tomamos algo.

- **el agua potable**   l'eau potable
- **en frente**   en face

---

5   Pepe déjeune chez des amis

Carmen	**Pepe, ¿quieres helado?**
Pepe	**¿De qué son los helados?**
Carmen	**De fresa y de caramelo. ¿De cuál quieres?**
Pepe	**De fresa y de caramelo.**
Carmen	**¡De los dos! ¿Y queréis alguno de vosotros café?**
Pedro	**Yo.**
Carmen	**¿Solo o con leche?**
Pedro	**Solo.**
Carmen	**¿Y para tí?**
Pepe	**Para mí con leche**
Carmen	**En seguida los traigo.**

- **el helado**   la glace
- **la fresa**   la fraise
- **el caramelo**   le caramel
- **la leche**   le lait

▶ **¿quieres helado?** veux-tu une glace ? Nous avons ici le verbe **querer** qui signifie vouloir, désirer fortement.

49

Dans un restaurant on pourra vous poser ces questions :
¿qué quiere de primero? que désirez-vous comme entrée ?
¿qué quiere de segundo? que désirez-vous comme second plat ? ou que prenez-vous ensuite ?
¿qué quiere de postre? que désirez-vous comme dessert ?
¿de qué son los helados? à quels parfums sont les glaces ?
♦ **¿de cuál quieres?** quel parfum désires-tu ? (littéralement quelle sorte désires-tu ?) **¿cuál?** est un pronom interrogatif qui signifie quel ?
¿queréis alguno de vosotros café? quelqu'un d'entre vous veut-il du café ? Le verbe **querer** est à la 2ᵉ personne du pluriel parce que Carmen s'adresse en même temps à deux personnes qu'elle tutoie.
para mí, café con leche un café au lait pour moi
para mí, café solo un café noir pour moi
¿y para ti? et pour toi ?
De la même façon vous entendrez **¿para usted?** pour vous ?
en seguida los traigo je vous les apporte tout de suite. **En seguida** a la même signification que **ahora mismo** que vous connaissez déjà. Le verbe **traer,** déjà rencontré dans le chapitre 3 (**¿qué traen?** qu'avez-vous avec vous ?), signifie porter, apporter.

6 A l'heure de l'apéritif

Camarero	**Buenos días, ¿qué desean, señores?**
Pepe	**No sé, ¿qué prefiere usted, don Antonio?**
Antonio	**Yo vino, ¿y usted?**
Pepe	**Pues no sé . . . si prefiero vino o cerveza ahora. ¿Qué hora es, Luisa?**
Luisa	**Las doce y media.**
Pepe	**Bueno, entonces cerveza.**
Camarero	**Bien, entonces, una cerveza y un vaso de vino, ¿tinto o blanco?**
Antonio	**Tinto.**
Camarero	**¿Y usted señora?**
Luisa	**Para mí, cerveza también.**
Camarero	**Y de tapas ¿qué desean?**
Luisa	**¿Qué tienen?**
Camarero	**Bueno, tenemos jamón, aceitunas, almejas, calamares . . .**
Pepe	**¿Calamares fritos?**
Camarero	**Sí, fritos.**
Pepe	**Calamares fritos para mí entonces.**
Luisa	**Sí, para mí también.**

- **el vino**   le vin
- **la cerveza**   la bière
- **el vaso**   le verre
- **tinto**   rouge
- **blanco** / blanc
- **la tapa**   l'amuse-gueule
- **el jamón**   le jambon
- **las aceitunas**   les olives
- **la almeja**   le clovisse (variété de coquillages)
- **el calamar**   le calamar
- **frito**   frit

¿qué desean? que désirez-vous? S'adressant à une seule personne, le garçon dirait **¿qué desea?**
¿qué prefiere usted? que préférez-vous? Attention : **preferir** est un verbe irrégulier.
▸ **si** sans accent traduit le si de la condition :
si es agua potable, puedo beber si l'eau est potable, je peux boire.
no sé si prefiero vino o cerveza je ne sais pas si je préfère du vin ou de la bière.
▸ **sí** avec accent signifie si, oui.
▸ **¿qué hora es?** quelle heure est-il?
las doce y media midi et demi

Mots clés & expressions idiomatiques

Au restaurant

¡oiga!	s'il vous plaît!
¿qué desea/desean?	
¿qué quiere/quieren?	que désirez-vous?
¿qué prefiere usted?	
¿quiere helado?	voulez-vous une glace?
¿qué quiere de primero?	que voulez-vous comme entrée?
¿qué quiere de segundo?	que voulez-vous comme second plat?
¿qué quiere de postre?	que voulez-vous comme dessert?
prefiero un café solo	je préfère un café noir
yo quiero . . .	je désire, je veux . . .
beber	boire
una cerveza	une bière

¿y para usted?	et pour vous?		
para mí ...	pour moi...		
café con leche	un café au lait		
¿de qué es el helado?	à quel parfum est la glace?		
¿cuánto es?	combien cela coûte-t-il?		
¿cómo dice?	comment dites-vous?		
la cuenta por favor	l'addition s'il vous plaît.		
¿de quién es?	à qui est-ce?		

De trente à mille

treinta	trente	trescientos (as)	trois cents
cuarenta	quarante	cuatrocientos (as)	quatre cents
cincuenta	cinquante	quinientos (as)	cinq cents
sesenta	soixante	seiscientos (as)	six cents
setenta	soixante-dix	setecientos (as)	sept cents
ochenta	quatre-vingts	ochocientos (as)	huit cents
noventa	quatre-vingt-dix	novecientos (as)	neuf cents
cien	cent	mil	mille
doscientos (as)	deux cents		

Mettez en pratique ce que vous avez appris

1 Nous sommes au bar Marbella. Une serveuse prend la commande de deux clients. Écoutez la cassette et cochez sur la carte les consommations qu'ils ont choisies. (Réponses p. 58)

BAR MARBELLA

zumo de naranja	40	bocadillos	
cerveza — caña	40	queso	160
— botellín	50	jamón	185
vino (vaso)	30	sardinas	170
whisky	80	tapas variadas	
café con leche	40	calamares	150
café solo	35	ensaladilla	126
pan	20	helados	90
agua mineral	30		

Vocabulaire

el zumo	le jus
la caña	la bière pression
el botellín	la bouteille
el bocadillo	le sandwich
la sardina	la sardine

2 Et maintenant l'addition... Dans la conversation ci-desssous certains mots ont été omis. Écoutez l'enregistrement avec attention puis complétez les phrases. (Réponses p. 58)

Cliente ————————— **camarero!**

Camarero **Sí** —————————

Cliente **La** ————————— **por favor.**

Camarero **¿Cómo** —————————**?**

Cliente **¿** ————————— **es?**

Camarero ————————— **cuatrocientas cuarenta pesetas.**

Cliente **Bien, tenga.**

Camarero ————————— **señora.**

el cliente le client   **la cliente** la cliente

3 Écoutez la cassette. On rend la monnaie **la vuelta** à la même cliente dans trois magasins différents. Combien lui a-t-on rendu dans chaque magasin? Cochez les réponses exactes. Il vous faudra peut-être écouter l'enregistrement deux ou trois fois avant de trouver les solutions. (Réponses p. 58)

I a **veinticinco pesetas**   □
    b **cuatrocientas pesetas**   □
    c **doscientas cuarenta pesetas**   □

II a **cuarenta y cinco pesetas**   □
    b **cincuenta pesetas**   □
    c **treinta y cinco pesetas**   □

III a **ciento sesenta y cinco pesetas**   □
    b **ciento cincuenta y cinco pesetas**   □
    c **ciento sesenta pesetas**   □

4 Un garçon de café fait les additions de trois tables différentes. Il y met un certain temps. Essayez de faire les additions vous-même : appuyez sur la touche « pause » de votre lecteur de cassettes dès que vous avez entendu **son** comme dans **dos y dos son** (pause) et ce sera à vous de dire **cuatro** puis vérifiez votre réponse. Complétez le montant total de l'addition pour chaque table dans le tableau ci-dessous. (Réponses p. 58)

BAR MARBELLA	Mesa	Precio

5 Dans le dialogue qui suit, les répliques du client ont été omises. A vous de compléter le dialogue en choisissant les réponses du client dans l'encadré ci-dessous.

`Camarero	**Buenos días, señora ¿qué desea?**
Señora	¿————————————————?
Camarero	**Sí, claro.**
Señora	¿————————————————?
Camarero	**Son de naranja, de caramelo y de café.**
Señora	————————————————
Camarero	**¿Algo más?**
Señora	¿————————————————?
Camarero	**Pues tenemos bocadillos de queso y de jamón**
Señora	————————————————
Camarero	**Bien, y ¿café, zumos?**
Señora	————————————————
Camarero	**¿Solo o con leche?**
Señora	————————————————

¿De qué son?

Pues un helado de café.

Solo, por favor.

Un café por favor.

Sí, ¿qué bocadillos tiene?

Un bocadillo de jamón entonces.

¿Hay helados?

Grammaire

Comment poser des questions

1 Vous pouvez modifier l'intonation de la voix; ainsi une affirmation deviendra une interrogation :
Hay pan. Il y a du pain. → **¿Hay pan?** Y a-t-il du pain?

2 Vous pouvez ajouter **¿verdad?** ou **¿no?** n'est-ce pas?, à la fin de la phrase :
Y nada más, ¿verdad? Et c'est tout, n'est-ce pas?
Aquí ¿no? Ici, n'est-ce pas?

3 Vous pouvez inverser l'ordre sujet-verbe :
Usted tiene una habitación. → **¿Tiene usted una habitación?**
Vous avez une chambre. → Avez-vous une chambre?

4 Vous pouvez employer un mot interrogatif en début de phrase tel que comment, où, quelle sorte de, combien? Voici maintenant une liste de questions que vous avez vues dans ce chapitre. Avez-vous retenu leur sens?
**¿cuánto dinero tienes?   ¿de quién es?   ¿cómo dice?   ¿qué quiere?
¿de cuál quiere? ¿de qué son?**
Si vous hésitez encore, revoyez la rubrique « Mots-clés et expressions idiomatiques », p. 51. Notez également la différence entre :
porque parce que et **¿por qué?** pourquoi, pour quelle raison?

Le verbe « querer »

QUERER vouloir (verbe irrégulier)
Présent de l'indicatif

quiero	**queremos**
quieres	**queréis**
quiere	**quieren**

Les nombres

21 à 29 : **veintiuno, veintidós, veintitrés, veinticuatro, veinticinco, veintiséis, veintisiete, veintiocho, veintinueve.**
31 à 39 : **treinta y uno, treinta y dos, treinta y tres, treinta y cuatro, treinta y cinco, treinta y seis, treinta y siete, treinta y ocho, treinta y nueve.**
Le même modèle est valable jusqu'à cent.

Attention !
1 à 100 : les seuls nombres dont la terminaison est variable sont ceux se terminant par **uno.** En effet, ils s'accordent en genre mais pas en nombre avec le nom auquel ils se rapportent :
veintiuna pesetas 21 pesetas   **veintiún señores** 21 messieurs
cien pesetas cent pesetas   mais **ciento una pesetas** cent une pesetas

200 à 900 : ces nombres doivent s'accorder en genre avec le nom auquel ils se rapportent :
doscientas pesetas deux cents pesetas   **trescientos hombres** trois cents hommes
doscientas ochenta y ocho pesetas 288 pesetas

Lire & comprendre

Le menu qui figure ci-dessous est celui de la Cafeteria Bristol. Lisez-le attentivement.

CAFETERÍA BRISTOL

1° GRUPO		**2° GRUPO**	
sopa de tomate	80	tortilla de queso	180
ensaladilla	175	tortilla de jamón	200
sardinas con tomate	150	trucha con jamón	250
entremeses variados	100	gambas a la plancha	275
huevos fritos	125		
calamares	160		
3° GRUPO		**VARIOS**	
flan	75	pan	20
helados variados	85	agua mineral	55
		café	40
		cerveza	90

Vocabulaire

la sopa de tomate	le potage de tomate
los entremeses variados	les hors-d'œuvre variés
los huevos fritos	les œufs sur le plat
la tortilla	l'omelette
la trucha	la truite
las gambas a la plancha	les gambas (grosses crevettes) grillées
el flan	le flan

Regardez ce ticket de restaurant de la Cafeteria Bristol. Le serveur n'a inscrit que les prix. A vous d'indiquer les plats correspondant à chaque prix.

CAFETERÍA BRISTOL

	80		75
	125		85
	200		55
	250		90

Le saviez-vous ?

Bars et cafés

Comme vous l'avez vu dans ce chapitre, la meilleure façon d'attirer l'attention d'un serveur est d'utiliser l'interjection ¡Oiga! Si vous demandez un apéritif dans un bar ou un café, il vous sera servi la plupart du temps accompagné de **tapas** qui sont des amuse-gueules, différents selon les régions. Nous en citerons quelques variétés : **aceitunas** olives, **calamares** calamars, **almejas** clovisses, **cangrejos** crabes, **boquerones** anchois frais, etc.

La propina le pourboire a toujours cours en Espagne même si de plus en plus le service est compris dans le prix des consommations. Dans un bar, ce pourboire sera de l'ordre de 10 à 50 pesetas selon la catégorie de l'établissement. Dans certains d'entre eux, les pourboires sont collectés dans une boîte **bote** placée sur le comptoir et, en fin de journée, l'argent est réparti entre les différents serveurs.

Restaurants

Les restaurants, tout comme les hôtels, sont classés en plusieurs catégories allant de une à cinq fourchettes **los tenedores.** Ces fourchettes disposées verticalement, doivent obligatoirement figurer soit sur les menus, soit sur la porte de l'établissement. Le déjeuner **la comida** ou **el almuerzo** est considéré comme le repas principal ; il consiste en trois plats accompagnés de vin et suivis du café et parfois de liqueurs et il est servi vers deux ou trois heures de l'après-midi.

Quant au dîner **la cena,** servi vers vingt et une heures trente ou vingt-deux heures, il est d'ordinaire plus léger.

Vérifiez bien les heures d'ouverture des restaurants pour éviter de mauvaises surprises !

D'après la loi, les menus doivent être affichés à l'extérieur du restaurant afin de permettre au consommateur éventuel de s'informer sur la prestation proposée. Il existe également des libres-services **autoservicios ;** on les rencontre surtout dans les régions très touristiques ou sur les axes routiers principaux.

Si vous avez « un petit creux » en fin d'après-midi et que l'heure du dîner vous paraît bien tardive, essayez donc les salons de thé **pastelerías** qui vous serviront **la merienda** le goûter ou les bars et cafés toujours à même de vous proposer des **tapas.** Et, au pire, prenez votre mal en patience... jusqu'à l'heure du dîner.

A vous de parler

Vous êtes au restaurant avec une amie. Vous commandez pour vous et pour elle les plats correspondant aux dessins ci-dessous, mais en respectant l'ordre indiqué.

Réponses

Mettez en pratique ce que vous avez appris : Exercice **1** botellín, zumo de naranja, un bocadillo de queso, calamares fritos. Exercice **2** ¡Oiga, camarero! Sí, señora. La cuenta por favor. ¿Cómo dice? ¿Cuánto es? Son cuatrocientas pesetas. Bien, tenga. Gracias, señora.
Exercice **3** (1) c (2) b (3) a. Exercice **4** table 1 = 165 pesetas, table 2 = 260 pesetas, table 3 = 140 pesetas. Exercice **5** Buenos días, señora ¿qué desea? /¿Hay helados? / Sí, claro. / De qué son? / Son de naranja, de caramelo y de café. / Pues un helado de café. / ¿Algo más? / Sí ¿qué bocadillos tiene? / Pues tenemos bocadillos de queso y de jamón. / Un bocadillo de jamón entonces. / Bien, ¿y café, zumos. . .? / Un café por favor. / ¿Solo o con leche? / Solo, por favor.
Lire et comprendre : sopa de tomate, huevos fritos, tortilla de jamón, trucha con jamón, flan, helados, agua mineral, cerveza.

por las carreteras

Vous allez apprendre

- à demander votre chemin
- à comprendre les indications qui vous sont donnée
- à vous renseigner sur les distances
- à demander la signification des panneaux de signalisation routière
- à voyager en voiture en Espagne.

Avant de commencer

Demander son chemin est chose relativement aisée, mais comprendre la réponse pose plus de problèmes ! La meilleure façon de procéder est d'écouter à plusieurs reprises les expressions (tout droit, première rue, etc.) que vous entendrez dans les dialogues de manière à ce que ce vocabulaire vous devienne familier. Une autre suggestion : quand vous serez sur place, répétez les indications au fur et à mesure qu'elles vous sont données. Votre interlocuteur pourra ainsi rectifier ce que vous avez dit, si vous avez fait une erreur.

Avant de passer au chapitre 6, reportez-vous à la page 219 pour la première série d'exercices de révision.

Dialogues

Dialogues

1 Sens interdit

Pepe	No te metas por ahí que está prohibido circular por esa calle: ¿no ves la señal? Sólo pueden circular bicicletas.
John	Pues aparcamos aquí y seguimos a pie . . .
Pepe	Pero sí es que tampoco se puede aparcar ¿no lo ves?
John	Ay ¡por Dios hombre! no me pongas nervioso . . .
Pepe	Anda, métete a mano derecha, que también está prohibido girar a la izquierda, y a ver si tenemos suerte en aquella plaza . . .
John	Bueno, bueno.

- **la calle** la rue
- **la señal** le panneau
- **a pie** à pied
- **tampoco** non plus
- **la suerte** la chance
- **la plaza** la place

♦ **no te metas por ahí** ne te mets pas là. Le verbe **meter** signifie mettre. Nous reviendrons plus tard sur la forme employée ici.
está prohibido circular por esa calle sens interdit (littéralement : il est interdit de circuler dans cette rue).
está prohibido girar a la izquierda il est interdit de tourner à gauche.
está prohibido girar a la derecha il est interdit de tourner à droite.
Girar signifie tourner. Un autre mot tout aussi fréquent pour traduire le verbe tourner est **doblar** ; **doblar la esquina** tourner à l'angle de la rue.

2 C'est loin, Jerez ?

Automovilista	Oiga, por favor, ¿Ud. me puede decir a cuántos kilómetros estamos de Jerez?
Pepe	Esta ciudad está a unos ochenta kilómetros . . .
Automovilista	Ya, y de Córdoba mucho más, ¿no?
Pepe	Uy, Córdoba está mucho más lejos, a más de doscientos de aquí.
Automovilista	Muchas gracias.

- **la ciudad** la ville
- **lejos** loin

♦ **¿a cuántos kilómetros estamos de Jerez?** à combien de kilomètres sommes-nous de Jerez?
a unos ochenta kilómetros à environ quatre-vingts kilomètres. Nous avons déjà vu que **unos/unas** avaient le sens de quelques, certains. C'est ici la notion d'approximation contenue dans quelque qui est exprimée et traduite par environ : **hay unas cincuenta personas aquí** il y a une cinquantaine de personnes ici, littéralement : il y a quelque cinquante personnes.

3 Comment aller à la Plaza Mayor . . .

Turista	**¿Cómo se puede ir a la Plaza Mayor?**
Pepe	**En autobús, . . . o en metro, a pie está muy lejos.**
Turista	**¿Y en qué autobús se puede ir desde aquí?**
Pepe	**Pues en el 20, mire, la parada la tiene Ud. en la plaza, allí.**

- **el turista** le touriste
- **el autobús** l'autobus
- **el metro** le métro
- **la parada** l'arrêt (de bus)

¿cómo se puede ir . . .? comment peut-on aller...? Le verbe pouvoir est suivi d'un verbe à l'infinitif : **¿se puede comer aquí?** peut-on manger ici?
está muy lejos c'est très loin
aquí = ici ; **ahí** = là ; **allí** = là-bas.
¿en qué autobús se puede ir desde aquí? avec quel bus peut-on y aller d'ici?
♦ **desde** signifie d', de, depuis et **hasta** jusqu'à : **desde hoy hasta el fin de semana** d'aujourd'hui à la fin de la semaine (jusqu'au week-end).
Desde et **hasta** peuvent être respectivement remplacés par **de** et **a** : **de miércoles a viernes** de mercredi à vendredi

4 . . . et à la Plaza Magdalena ?

Turista	**Por favor, ¿la Plaza Magdalena?**
Pepe	**La segunda bocacalle a la derecha y todo seguido.**

- **la bocacalle** l'entrée de rue

♦ **la segunda bocacalle a la derecha** la seconde rue à droite.
Bocacalle est formé du mot **boca** bouche et du mot **calle** rue d'où son sens littéral : entrée de rue.

5 La Puerta del Sol est-elle loin ?

John	**Por favor, ¿para ir a la Puerta del Sol?**
Recepcionista	**Toda la calle adelante, Calle Mayor a la izquierda.**
John	**¿Está lejos?**
Recepcionista	**Muy cerca.**

¿para ir a la Puerta del Sol? pour aller à la Puerta del Sol ?
Vous pouvez tout aussi bien vous faire comprendre en disant simplement : **¿la Puerta del Sol, por favor?**

6 La rue Sierpes, s'il vous plaît ?

Suzanne	**Por favor, ¿me dice cómo se va a la Calle Sierpes?**
Recepcionista	**A la Calle Sierpes pues . . . tiene que coger la primera calle a la izquierda, después seguir todo recto y, al final, se encontrará con ella.**
Suzanne	**Gracias.**
Recepcionista	**De nada.**

¿me dice (usted) cómo se va a la Calle Sierpes? pouvez-vous me dire comment aller rue Sierpes ? La rue Sierpes est une rue commerçante bien connue de Séville.
después seguir todo recto y, al final,
se encontrará con ella puis vous allez tout droit et, au bout de la rue, vous la trouverez.
todo recto a le même sens
que **todo seguido** que nous avons déjà vu.
Encontrarse con signifie rencontrer, trouver ;
se encontrará con el hotel
il/elle trouvera/vous trouverez l'hôtel.

7   A la station service

Claude	¡Oiga! por favor, ¿para ir hacia la carretera de Madrid?
Gasolinero	Bueno, pues tiene usted que salir por la carretera nacional uno y tomar el puente, el puente romano, el puente viejo y después a mano izquierda allí verá los indicadores para Madrid.
Claude	Tengo que cruzar el puente, ¿no?
Gasolinero	Sí, sí, tiene que ir al otro lado del río.
Claude	¿Y luego doblo?
Gasolinero	A la izquierda. Y allí verá los indicadores para Ávila y Madrid.
Claude	¡Ah! ¿Y tengo que pasar por Ávila?
Gasolinero	Pues sí puede usted pasar por Ávila, pero no es necesario.

- **hacia** vers, en direction de
- **la carretera** la route
- **el gasolinero** le pompiste
- **romano** romain
- **viejo** vieux, ancien
- **después** ensuite, après
- **a mano izquierda** à main gauche (**la mano** la main)
- **río** la rivière, le fleuve
- **necesario** nécessaire, indispensable.

tiene usted que salir por la carretera nacional uno vous devez sortir par la nationale 1.
- **tomar el puente** prendre le pont. **Tomar** et **coger** signifient tous deux prendre : **tome/coja la carretera a la izquierda** prenez la route à gauche.
allí verá los indicadores là vous verrez les panneaux indicateurs. Nous apprendrons le futur au chapitre 14 ; à chaque leçon suffit sa peine.
- **tengo que cruzar el puente** je dois traverser le pont. Remarquez l'emploi de **tener que** devoir, qui exprime l'obligation.
al otro lado del río de l'autre côté de la rivière
¿tengo que pasar por Ávila? dois-je passer par Avila ? Nous reviendrons sur l'emploi de **por** dans la « Grammaire » de ce chapitre.

Mots clés & expressions idiomatiques

¿la Plaza Magdalena, por favor?	la Place Magdalena, s'il vous plaît?
¿para ir a la Plaza Magdalena?	comment se rendre à la Place Magdalena?
¿cómo se puede ir a la plaza Magdalena?	
a la derecha	à droite
a la izquierda	à gauche
no se puede ir, está prohibido ir . . . a la derecha	il n'est pas possible, il est interdit d'aller... à droite
usted coge la primera bocacalle	vous prenez la première rue
usted coge la segunda bocacalle	vous prenez la deuxième rue
usted coge la tercera bocacalle	vous prenez la troisième rue
tiene que tomar/coger esta carretera	vous devez prendre cette route
tiene que doblar la esquina	vous devez tourner au coin
todo recto/todo seguido	tout droit
al otro lado de la calle	de l'autre côté de la rue
¿está lejos?	est-ce loin?
¿a cuántos kilómetros está?	à combien de kilomètres est-ce?
¿tengo que cruzar el puente?	dois-je traverser le pont?
¿tengo que pasar por . . .?	dois-je passer par...?
¿qué significa esta señal?	que signifie ce panneau?

Mettez
en pratique
ce que vous avez appris

1 Voici le plan de Palencia. Vous allez entendre, sur la cassette, un certain nombre d'affirmations sur l'endroit où sont situés des monuments de la ville. A vous de dire si ces affirmations sont vraies ou fausses en cochant les cases correspondantes. (Réponses p. 70)

A **Catedral**
B **Iglesia de San Miguel** Église Saint-Michel
C **Capilla de San Bernardo** Chapelle Saint-Bernard
D **Oficina de Turismo** Office du tourisme
E **Correos** La poste et le service des télégrammes
F **Telefónica** La compagnie de téléphone

		Verdad	Mentira
1	**Catedral**	☐	☐
2	**Iglesia de San Miguel**	☐	☐
3	**Capilla de San Bernardo**	☐	☐
4	**Oficina de Turismo**	☐	☐
5	**Correos**	☐	☐
6	**Telefónica**	☐	☐

PLANO DE PALENCIA

2 Vous allez entendre quatre personnes (**Elisa, Juana, Juan** et **Pablo**) demander leur chemin. Les schémas ci-dessous correspondent aux indications qui leurs sont données. Inscrivez le nom de chaque personne sous l'itinéraire correspondant. (Réponses p. 70)

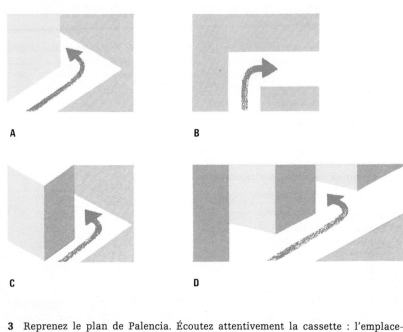

A

B

C

D

3 Reprenez le plan de Palencia. Écoutez attentivement la cassette : l'emplacement de cinq monuments ou services publics vous sera donné mais pas leur nom. A vous de deviner le monument dont il s'agit et d'écrire en français l'endroit où il se trouve. (Réponses p. 70)

1 _____

_____

2 _____

_____

3 _____

_____

4 _____

_____

5 _____

_____

4 Voici une carte des routes d'accès à Séville. Vous allez entendre une série d'indications portant sur les distances qui séparent Séville d'autres villes.
Exemple : **Carmona está a unos treinta y tres kilómetros.**
Écoutez les kilométrages qui vous sont donnés et indiquez s'ils sont corrects ou non en cochant la case appropriée. (Réponses p. 70)

		verdad	mentira
1	**Osuna**	☐	☐
2	**Ecija**	☐	☐
3	**Marchena**	☐	☐
4	**Utrera**	☐	☐
5	**Lebrija**	☐	☐
6	**Morón de la Frontera**	☐	☐
7	**San Isidro**	☐	☐

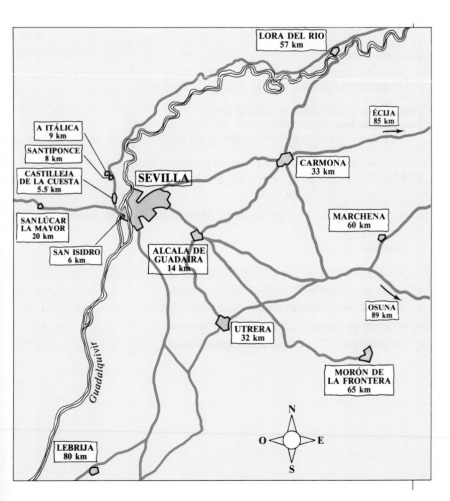

Grammaire

« Se puede »

Pour exprimer une possibilité ou une permission, employez l'expression **se puede** on peut. Vous l'avez déjà rencontrée au cours de ce chapitre dans l'exemples : **¿Cómo se puede ir a la Plaza Mayor?** comment peut-on aller à la Plaza Mayor?
Rappelez-vous que la forme négative se construit en mettant **no** devant le verbe : **no se puede andar aquí** on ne peut pas marcher ici.

« Por/para »

Para signifie
1 pour :
¿para ir a Marchena? pour aller à Marchena?
¿para ir a la catedral? pour se rendre à la cathédrale?
para mí pour moi
2 vers, en direction de :
los indicadores para Ávila les panneaux pour Avila

Por signifie par, à travers, le long de :
¿tengo que pasar por Ávila? dois-je passer par Avila?
no se puede circular por esta calle il est interdit de circuler dans cette rue.
On emploie également **por** dans des expressions telles que :
por favor je vous prie   **por aquí** par ici

Exercice

Complétez les phrases qui suivent avec **para** ou **por** selon le cas. (Réponses p. 70)

la autopista l'autoroute

a _____favor, ¿_____ ir a la Plaza Mayor?

b ¿Hay una parada de taxis_____ aquí?

c Allí hay los indicadores_____ Segovia.

d ¿Tengo que pasar_____ Palencia?

e Se puede ir_____ la autopista.

Lire & comprendre

Lisez le passage qui suit à voix haute afin de vous exercer à prononcer l'espagnol. Relisez-le ensuite à voix basse jusqu'à ce que vous compreniez parfaitement toutes les indications qu'il contient.

La Plaza del Mercado está cerca del centro de Sevilla. Para ir allí desde la Calle de la Magdalena, se puede ir a pie pero está lejos. Usted tiene que coger la primera calle a la izquierda, que es la Calle Preciados. Al final está la Plaza San Antonio. Luego, todo recto hasta los semáforos. Allí, tiene que doblar a la derecha, y al final de esta calle, está la Plaza del Mercado.

los semáforos les feux de signalisation *feu de circulation*

Pouvez-vous donner le contraire de chaque mot ou expression indiqués ci-dessous ? (Réponses p. 70)

1 **cerca** —————————————————
2 **al principio** —————————————————
3 **desde** —————————————————
4 **a la derecha** —————————————————
5 **en malas condiciones** —————————————————

Le saviez-vous ? ??????

Quelques conseils pratiques

Nous ne vanterons pas les mérites de la voiture pour découvrir l'Espagne. Nous nous attarderons plutôt sur des détails d'ordre pratique. Le premier est d'ailleurs une nécessité. N'oubliez pas de vous munir de votre carte verte (attestation d'assurance de votre véhicule) **Carta verde** indispensable en Espagne. Essayez de retenir les expressions suivantes qui correspondent aux panneaux de signalisation les plus courants et dont l'ignorance ne pardonnerait pas :
Ceda el paso (littéralement : cédez le passage) stop. **Cruce con preferencia** croisement avec priorité, **obras** travaux, **velocidad máxima . . .** vitesse maximum..., **curva peligrosa** virage dangereux. Deux autres réglementations du **Código de la circulación** code de la route à observer si vous ne voulez pas payer de contravention **la multa :** la limitation de vitesse qui est la même qu'en France et le port du **cinturón de seguridad** ceinture de sécurité également obligatoire.

Le réseau routier espagnol

L'Espagne dispose d'un réseau d'autoroutes **autopistas** indiquées par la lettre A. Ces autoroutes sont payantes. Pour tous les détails concernant les autoroutes, vous pouvez vous adresser auprès de l'ASETA, Estebañez Calderón 3, Madrid 20. Du fait de l'extension permanente du réseau routier espagnol, assurez-vous que votre carte routière est à jour.

Essence ou super?

Depuis le mois d'avril 1985, l'Espagne s'est alignée sur ses voisins européens ; en effet, il n'existe plus que deux catégories d'essence : super et normale moins chargée en plomb **(plomo)** et contenant respectivement 97 et 90 octanes. Avant de quitter les axes routiers les plus fréquentés, veillez à faire le plein de votre réservoir car les pompes à essence sont rares dans certaines régions.

Un dernier point : l'État détenant le monopole de la vente de l'essence, les prix sont identiques dans tout le pays.

A vous de parler

Vous allez demander votre chemin pour aller à la Plaza Mayor en traduisant les répliques du présentateur. Employez des expressions telles que : **¿se puede ir . . .? ¿tengo que . . .?** et essayez de comprendre les indications qui vous sont données.

Révision

Vous allez maintenant réviser ce que vous avez appris dans les chapitres 1 à 5. Reportez-vous à la p. 219 où l'on vous expliquera ce que vous devez faire. Vous allez avoir besoin de votre lecteur de cassettes.

Réponses

Mettez en pratique ce que vous avez appris : Exercice **1** les six affirmations sont exactes. Exercice **2** (a) Juana (b) Elisa (c) Pablo (d) Juan. Exercice **3** (1) Le bureau de poste et de télégraphe (2) L'office du tourisme (3) La chapelle Saint-Bernard (4) Les services du téléphone (5) L'église Saint-Michel. Exercice **4** (1) mentira (2) verdad (3) mentira (4) mentira (5) verdad (6) mentira (7) mentira.
Grammaire : (a) por. . .para (b) por (c) para (d) por (e) por.
Lire et comprendre : (1) lejos (2) al final (3) hasta (4) a la izquierda (5) en buenas condiciones.

¿ qué hora es ? 6

Vous allez apprendre

- à demander et à dire l'heure
- les jours de la semaine
- les mois de l'année
- les expressions de temps les plus courantes
- un bref aperçu de l'histoire espagnole.

Avant de commencer

Bien savoir poser les questions appropriées et en comprendre les réponses est une chose capitale pour le bon déroulement d'un séjour à l'étranger.

¿Cuándo? quand et **¿a qué hora?** à quelle heure ? couvriront déjà bien des éventualités. Apprenez les jours, l'heure et exercez-vous à utiliser ces expressions à voix haute : pourquoi par exemple ne pas dire l'heure en espagnol chaque fois que vous jetez un coup d'œil à votre montre ?

Avant d'écouter les dialogues de la leçon, revoyez les nombres qui suivent. Dites-les à voix haute en espagnol bien sûr, puis vérifiez vos réponses p. 86 : 10, 14, 24, 22, 15, 9, 5, 28, 31, 17, 19, 21.

Dialogues

---

1 Quelle heure est-il ?

Pepe	**¿Qué hora es por favor?**
Alejandro	**Son las once menos cinco (minutos).**
Pepe	**Gracias.**

¿qué hora es? quelle heure est-il? Nous reviendrons sur les expressions de temps dans la « Grammaire » de ce chapitre.
son las once menos cinco (minutos) il est onze heures moins cinq.
Rappel : le verbe être s'accorde ici avec le sujet réel. Il est une heure se traduit par **es la una.**

---

2 Quelles sont vos heures d'ouverture et de fermeture ?

Turista	**Por favor, ¿a qué hora se abre El Corte Inglés?**
Recepcionista	**A las diez de la mañana.**
Turista	**¿Y a qué hora se cierra?**
Receptionista	**Por la tarde, a las ocho.**
Turista	**¿Todos los días de la semana?**
Receptionista	**Sí, los sábados también, y al mediodía no cierran pero los domingos, claro, no abren.**

- **la semana** la semaine
- **al mediodía** à midi

¿a qué hora se abre . . .? à quelle heure ouvre...?
▸ **¿y a qué hora se cierra?** et à quelle heure ferme-t-il?
Vous avez là les deux questions les plus fréquemment employées pour vous renseigner sur les heures d'ouverture et de fermeture de tous les magasins, lieux publics, et bureaux en Espagne. Vous les retrouverez dans les exercices de cette leçon.
▸ **por la tarde, a las ocho** le soir, à huit heures. Vous remarquez l'emploi de la préposition **por** (déjà rencontrée au chapitre 5) devant un complément de temps. Autres exemples : **por la mañana** le matin et **por la noche** la nuit.

3 A quelle heure le train arrive-t-il ?

Pepe	**Por favor, ¿a qué hora llega el tren de La Coruña?**
Taquillera	**A las veintiuna horas catorce minutos.**
Pepe	**Gracias.**

- **el tren** le train
- **llegar** arriver
- **la taquillera** l'employée de guichet

a las veintiuna horas catorce minutos à vingt et une heures quatorze.
Cette façon de dire l'heure sur un cycle de vingt-quatre heures est
réservée aux horaires de train, d'avion, etc.

4 A quelle heure part le train ?

Pepe	**¿A qué hora sale el tren para Salamanca, por favor?**
Taquillera	**¿Por la mañana o por la tarde?**
Pepe	**Por la mañana y por la tarde, por favor.**
Taquillera	**La salida para Salamanca a las doce y treinta minutos, por la tarde tiene otro a las dieciséis horas y quince minutos, con llegada a Salamanca a las veinte horas y treinta minutos.**
Pepe	**Cómo ha dicho . . . el de por la tarde . . . ¿a qué hora llega?**
Taquillera	**A las veinte horas treinta minutos, a las ocho y media . . .**
Pepe	**¿Y sale el tren siempre a su hora?** *→ toujours à l'heure juste ?*
Taquillera	**Sí, sale en punto.**
Pepe	**Gracias.**

- **la salida** le départ
- **la llegada** l'arrivée
- **siempre** toujours

♦ **¿a qué hora sale el tren para Salamanca?**
à quelle heure part le train
à destination de Salamanque ? Voilà
une question des plus utiles, à retenir donc !
salir, employé ici dans le sens de partir,
signifie également sortir.
llegada a Salamanca a . . . :
arrivée à Salamanque à...
Il s'agit d'un train qui dessert
un certain nombre de gares
et s'arrête de ce fait à plusieurs reprises.

¿el de por la tarde? celui de l'après-midi? Pepe n'a pas répété le mot **tren** qui se comprend de façon implicite.
¿sale el tren siempre a su hora? est-ce que le train part toujours à l'heure? Expression synonyme de **a su hora**: **en punto** qu'utilise l'employée du guichet dans la réplique suivante.

---

5 Combien de temps dure le voyage?

Pepe	**¿Cuánto dura el viaje a Vigo, por favor?**
Taquillera	**Diez horas aproximadamente.**
Pepe	**¿Cómo?**
Taquillera	**Diez horas.**
Pepe	**¿Y a La Coruña, cuánto tiempo tarda en llegar?**
Taquillera	**Diez horas y media.**
Pepe	**Diez horas y media. Gracias.**

¿cuánto dura el viaje a Vigo? quelle est la durée du trajet pour aller à Vigo?
♦ **diez horas aproximadamente** dix heures environ
¿cuánto tiempo tarda en llegar (a La Coruña)? combien de temps met-il pour arriver (à La Corogne)?

---

6 A quelle heure arrive l'autobus?

Pepe	**A qué hora llega el autobús de Toledo?**
Taquillera	**A las seis, pero hoy viene con retraso.**
Pepe	**¿Esto es frecuente?**
Taquillera	**No señor, es un servicio diario y generalmente los autobuses llegan en punto: los lunes, miércoles y viernes, como hoy por la tarde y los martes, jueves y sábados por la mañana, ¡pero hoy no sé que pasa!**
Pepe	**Bien, voy a esperar, gracias.**

● **el retraso** le retard

¿a qué hora llega el autobús de Toledo? à quelle heure l'autobus de Tolède arrive-t-il?
♦ **viene con retraso** il a du retard
¿esto es frecuente? cela arrive fréquemment?
♦ **los lunes, miércoles y viernes ... los martes, jueves y sábados:** voilà dans un désordre bien volontaire six jours de la semaine. Vous les retrouverez dans l'ordre et au complet dans la rubrique « Mots-clés et expressions idiomatiques » p. 76. Remarquez que tous ces noms sont précédés ici de l'article défini au pluriel **los** pour insister sur l'idée de répétition et de régularité : les lundis, les mercredis, etc.

74

7 Comment téléphoner en France

Pepe	**Por favor, quiero hacer una llamada a Toulouse. ¿Qué tengo que hacer?**
Telefonista	**¿Para dónde?**
Pepe	**Toulouse, en Francia.**
Telefonista	**En Francia. ¿Sabe usted el prefijo y el número de la ciudad?**
Pepe	**Sí, aquí lo tengo, el cero siete, treinta y tres, y el sesenta y uno para Toulouse.**
Telefonista	**Pues entonces tiene que marcar el cero siete, esperar el tono, el tres, tres otra vez, seis, uno y el número del abonado.**

- **la llamada** l'appel • **la telefonista** la téléphoniste
- **el prefijo** l'indicatif (départemental ou du pays)

♦ **quiero hacer una llamada a Toulouse** je veux téléphoner à Toulouse.
tiene que marcar el cero siete, esperar el tono vous devez composer le 07, attendre la tonalité.
el número del abonado le numéro de l'abonné.

8 Qui est-ce ?

Pepe	**A ver, ¿me dejas ver la foto? ¿Es tu familia?**
Teresa	**Sí, mira, son mis hijos, mi marido, mis padres . . . es una foto del día de cumpleaños de mi padre y estamos todos juntos.**
Pepe	**¡Qué bien estáis! y ¿quién hizo la foto?**
Teresa	**Mi cuñada, la esposa de mi hermano, le gusta mucho fotografiar y lo hace muy bien.**

- **la foto** la photographie
- **el hijo** le fils
- **el marido** le mari
- **los padres** les parents
- **juntos** ensemble
- **la cuñada** la belle-sœur
- **la esposa** l'épouse
- **el hermano** le frère

¿me dejas ver la foto? tu me laisses voir la photo ?
♦ **¿quién hizo la foto?** qui a fait la photo ? Vous apprendrez le passé des verbes au chapitre 15.
el cumpleaños l'anniversaire. Bien qu'il ait une terminaison pluriel, ce nom est singulier.

Pepe	**Oye, ¿cuántos años tienes?**
Dámaso	**Mira, todavía tengo 17 . . .**
	Digo todavía, porque mañana
	es mi cumpleaños
	y cumplo ya los 18 . . .
Pepe	**¿Y tu santo?**
Dámaso	**Ah, mi santo es el día**
	de San Dámaso,
	el once de diciembre.

- **el santo** le saint, la fête d'une personne

‣ **¿y (cuándo es el día de) tu santo?** et quel est le jour de ta fête?
Vous noterez que le mot interrogatif **¿cuándo?** quand? s'écrit avec un accent.
Signalons que les Espagnols attachent une grande importance à leur fête, plus encore peut-être qu'à leur anniversaire.

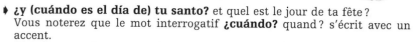

Mots clés **&** *expressions idiomatiques*

¿qué hora es?	quelle heure est-il?
son las diez de la noche	il est 22 heures (dix heures du soir)
¿a qué hora se abre (El Corte Inglés)?	à quelle heure (Le Corte Inglés) ouvre-t-il?
a las ocho de la mañana	à huit heures du matin
a las cuatro de la tarde	à quatre heures de l'après-midi
¿a qué hora se cierra (el bar) por la noche?	à quelle heure ferme (le bar) le soir?
a las once de la noche	à 23 heures (onze heures du soir)
¿a qué hora llega el autobús?	à quelle heure l'autobus arrive-t-il?
¿a qué hora sale el autobús para Valencia?	à quelle heure l'autobus de Valence part-il?
¿cuánto tiempo tarda en llegar?	combien de temps met-il pour faire le trajet?
dos horas	deux heures
¿cuándo es su cumpleaños?	quelle est la date de votre anniversaire?
el veintidós de septiembre	le 22 septembre
quiero hacer una llamada a . . .	je souhaite téléphoner à...
¿por la mañana o por la tarde?	le matin ou le soir?

Les jours de la semaine

lunes	lundi
martes	mardi
miércoles	mercredi
jueves	jeudi
viernes	vendredi
sábado	samedi
domingo	dimanche

Les mois de l'année

enero	janvier	**julio**	juillet
febrero	février	**agosto**	août
marzo	mars	**septiembre**	septembre
abril	avril	**octubre**	octobre
mayo	mai	**noviembre**	novembre
junio	juin	**diciembre**	décembre

L'heure

es la una	il est une heure
son las dos	il est deux heures
son las tres y cinco	il est trois heures cinq
son las cuatro y diez	il est quatre heures dix
son las cinco y cuarto	il est cinq heures et quart
son las seis y media	il est six heures et demie
son las siete menos veinticinco	il est sept heures moins vingt-cinq
son las ocho menos cuarto	il est huit heures moins le quart
son las nueve menos diez	il est neuf heures moins dix
al mediodía	à midi
a la medianoche	à minuit
¿a qué hora (se abre) . . .?	à quelle heure (ouvre)... ?
a las dos	à deux heures
a las tres y cinco	à trois heures cinq

Mettez en pratique ce que vous avez appris

1 L'employée du guichet **(la taquillera)** renseigne Miguel sur les horaires des trains de Palma à destination de Soller. A vous d'inscrire ces horaires en toutes lettres. N'hésitez pas à vous arrêter autant de fois que cela sera nécessaire pour faire cet exercice. (Réponses p. 86)

TRENES Salidas de Palma para Soller
a
b
c
d
e

2 Voici deux dialogues. Les phrases de même que les mots qui les composent sont imprimés dans le désordre. A vous de jouer ! et vérifiez vos réponses sur la cassette.

a media y las a ocho _____

   ¿dónde el de tren? _____

   Salamanca de _____

   ¿tren llega qué a hora el? _____

   nada de _____

   ¿mañana de la tarde o la de? _____

   muchas gracias bien _____

   tarde de la _____

b gracias bien _____

   ¿dónde para? _____

   ¿sale autobús qué hora a el? _____

   la noche a once las de _____

   Valencia para _____

3 Vous allez entendre une opératrice donner le numéro de téléphone de trois services municipaux mentionnés ci-dessous. Pouvez-vous inscrire ces numéros en face de l'abonné correspondant ? (Réponses p. 86)

OFICINA DE TURISMO _____

CORREOS _____

RENFE _____

4 Vous êtes dans le hall d'une gare et vous entendez au haut-parleur différentes annonces à l'intention des voyageurs. Écoutez attentivement le lieu de provenance des trains, puis inscrivez pour chacun l'heure d'arrivée en chiffres et le numéro du quai. Avant de commencer cet exercice, écoutez tout l'enregistrement au moins une fois. (Réponses p. 86)

el andén le quai

	Procedencia	Llegada	Andén
a	SALAMANCA		
b	VALENCIA		
c	MADRID		
d	LA CORUÑA		
e	VIGO		
f	BURGOS		

Grammaire

Les jours de la semaine

Remarquez que l'on emploie l'article défini singulier devant le nom des jours de la semaine chaque fois qu'il est fait référence à un jour précis :
llega el lunes il arrive lundi
Nous avons déjà vu que les noms de jours sont souvent précédés de l'article défini au pluriel (voir dialogue 6).
siempre viene los lunes il vient toujours le lundi

Les adverbes

Dans le dialogue 5 de ce chapitre, vous avez rencontré l'expression : **diez horas aproximadamente** environ, à peu près dix heures.
Retenez que les adverbes de manière, de temps, etc., se forment généralement en ajoutant le suffixe **-mente** à l'adjectif féminin singulier : **aproximado** approximatif → **aproximadamente** approximativement, **diario** journalier → **diariamente** journellement.

Mais attention, certains adverbes ont une forme irrégulière. Ainsi l'adverbe formé avec l'adjectif **mal** mauvais est également **mal** mal. De même **bien** (dialogue 8) se traduit par bien.

Apprenez aussi :
temprano tard
tarde tôt

Les adjectifs et les pronoms démonstratifs

A la différence du français, l'espagnol a trois adjectifs démonstratifs : **este, ese, aquel.**

Ils ne s'emploient pas indifféremment : en effet, chacun correspond à un degré d'éloignement (spatial ou temporel) différent dans l'esprit du locuteur.

Este désigne toujours une personne, un objet, un lieu ou un moment très rapproché :
este señor ce monsieur, **este libro** ce livre, **este invierno** cet hiver.

Ese correspond à une position intermédiaire et marque souvent l'indifférence : **ese perro** ce chien-ci (parmi tant d'autres), **ese día** ce jour-ci.

Aquel marque un degré d'éloignement très prononcé :
aquel hotel cet hôtel-là (loin d'ici), **aquel verano** cet été-là (il y a longtemps).

Voici les formes de ces trois adjectifs qui s'accordent en genre et en nombre.

Singulier		Pluriel	
Masculin	Féminin	Masculin	Féminin
este	esta	estos	estas
ese	esa	esos	esas
aquel	aquella	aquellos	aquellas

La même distinction existe pour les pronoms démonstratifs qui, eux, portent un accent écrit sur la voyelle tonique.

Singulier		Pluriel	
éste	ésta	éstos	éstas
ése	ésa	ésos	ésas
aquél	aquélla	aquéllos	aquéllas

Lire & *comprendre*

Consultez ces horaires de chemin de fer et essayez de répondre aux questions ci-dessous. (Réponses p. 86)

Vocabulaire

el itinerario	l'itinéraire, le trajet	**la última salida**	le dernier départ
la gasolinera	la station-service	**la salida**	le départ (du bus, du train)
el horario	l'horaire	**cada**	chaque
la primera salida	le premier départ (du bus, du train)	**la frecuencia**	la fréquence

---

 FEVE   Linea PALMA-ARENAL

ITINERARIO Y PARADAS

● PLAZA ESPAÑA
Avenidas
○ Calle Huetan
○ Plaza Columnas
Gasolinera
○ Calle Juan Alcover
○ Calle Troneras
● LAS PALMERAS
○ Escuelas
○ Curtídora
○ Ciudad Jardín
● Coll d'en REBASSA
○ San Juan de Dios
○ Cortijo Vista Verde
○ San Antonio
○ Hotel Linda
● C'an PASTILLA
Gasolinera
Bonaire
Hotel Java ○ Balneario Nº 1
Es Pontet ○ Celler Es Glopet
○ Balneario Nº 2
● HOTEL PLAYA
○ Sometines
○ Hotel Kontiki
● HOTEL CRISTINA
○ Hotel Garonda
● MARAVILLAS
● SAN FRANCISCO
○ Hotel Neptuno
● HOTEL TIMON
○ Joyeria Marilen
● HOTEL TOKIO
○ Calle Milan
● CALLE CANNAS
● CALLE CANNAS
● CALA BLAVA

HORARIOS

1º de Junio al 30 Septiembre

P A L M A
Primera salida: 6'30 horas
Ultima salida: 23'00 horas

A R E N A L
Primera salida: 6'00 horas
Ultima salida: 22'30 horas
Frecuencia: cada 10 minutos aproximadamente

1º de Octubre al 31 Mayo

P A L M A
Primera salida: 6'30 horas
Ultima salida: 22'30 horas

A R E N A L
Primera salida: 6'00 horas
Ultima salida: 22'00 horas
Frecuencia: cada 15 minutos aproximadamente

1º de Junio al 30 Septiembre
Arenal-Cala Blava: 7'30-9'00-12'30-15'15-17'45
Cala Blava-Arenal: 7'45-9'15-12'45-15'30-18'00

1º de Octubre al 31 Mayo
Arenal-Cala Blava: 7'30-12'30-17'45
Cala Blava Arenal: 7'45-12'45-18'00

---

1 Les horaires sont-ils identiques toute l'année ?
2 A quelle heure part le premier bus de Palma ? d'Arenal ?
3 Quelle est sa fréquence durant l'été/durant l'hiver ?

COTT - ESCRIBANO / L'ESPAGNOL C'EST FACILE 4

Le saviez-vous ?????

Les enracinements profonds

La péninsule est parmi les pays les plus anciennement peuplés d'Europe. On y trouve de nombreuses traces laissées par les hommes préhistoriques depuis peut-être un million d'années. Datant de l'âge d'or de la Préhistoire, les fresques de la grotte d'Altamira n'ont guère, pour les égaler ou les dépasser, que celles de Lascaux découvertes beaucoup plus tard (1940) en France. Faut-il s'en étonner ? L'Afrique, berceau probable de l'humanité, n'est-elle pas toute proche ? Sautons les millénaires par centaines et nous voici vers 2000 avant J.-C. On devine en Espagne des populations diverses dont certaines, comme les Basques, assurent être « aussi anciens que le pays où ils vivent ». Pour les écrivains grecs et latins, qui remontent plus loin dans le temps, le pays est peuplé d'Ibères, nom dont dérive le terme qui, aujourd'hui encore, nous sert à désigner toute la péninsule ibérique. Au début du premier millénaire, les Celtes, envahisseurs, se mêlent aux Ibères, souvent appelés désormais Celtibères.

C'est par mer que sont arrivés d'autres envahisseurs : à partir de 2000 avant J.-C., les Crêtois peut-être, les Phéniciens sûrement, implantent des comptoirs dans un pays mystérieux que la Bible appelle Tharshish et qui est l'Andalousie. Cadix est le nom actuel de leur principal comptoir, Gadès.

Une civilisation brillante s'épanouit alors dont témoignent des œuvres d'art originales comme le buste de la célèbre « dame d'Elche ». Sur les côtes essaiment les comptoirs grecs.

Rome et son empreinte

La péninsule était trop riche, en métaux surtout, pour ne pas attirer bien des convoitises. Celle des Carthaginois fut la plus importante : entre 239 et 229, Amilcar Barca, le père d'Hannibal, y construit un véritable empire personnel dans le sud. Rome établit son influence dans le nord. Le choc est inévitable. La deuxième guerre punique (219-201), qui mit Rome à un cheveu du désastre, a commencé en Espagne, d'où se sont élancés Hannibal et son armée, composée en grande partie d' « Espagnols », pour attaquer Rome elle-même. Aventure tumultueuse dont le résultat, pour l'Espagne, est d'y implanter les Romains : avant d'être « Scipion l'Africain », le général romain a conquis sa première gloire en Espagne. Conquérir l'âme des habitants n'était pas une mince affaire. Déjà ceux du versant tourné vers l'Atlantique — bientôt appelé Lusitanie — le futur Portugal — étaient fort différents de ceux de l'intérieur et de la côte méditerranéenne, les Ibères. Le lusitanien Viriathe n'a été vaincu (−140) qu'après huit années de résistance farouche (−154), plus vite pourtant que la cité de Numance dont les derniers défenseurs ont préféré la mort à la servitude (−133). Un siècle et demi plus tard la « paix romaine » s'était à peu près imposée au pays.

Et bien des Romains de grand renom étaient en fait des « Espagnols » si l'on admet ce terme pour désigner des fils de citoyens romains immigrés et installés dans le pays. Les empereurs Trajan, Hadrien, Théodose, des écrivains comme Sénèque, des poètes comme Martial et Lucain sont les gloires latines de la politique et de la littérature de l'Espagne antique.

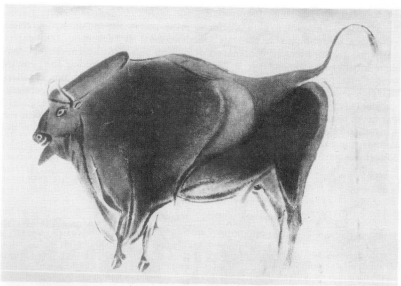

Reproduction d'un bison de la
grotte d'Altamira.

La dame d'Elche.

Le choc des Barbares...

Au Vᵉ siècle, l'Empire romain s'écroule, miné par la dépopulation, les crises religieuses et politiques, le mauvais fonctionnement de l'économie. Les peuples barbares, que les Romains contenaient de plus en plus difficilement derrière leur ligne fortifiée du « limes » sur le Rhin et le Danube, se précipitent sur l'empire avec d'autant plus de fougue qu'ils sont eux-mêmes pressés par des cavaliers Mongols, les Huns jaillis des profondeurs de l'Asie Centrale. Des tribus germaniques balaient la péninsule.

Parmi ces peuples barbares les plus importants sont les Vandales qui finissent par s'installer à l'extrémité sud (l'Andalousie perpétue leur nom) et les Wisigoths qui dominent le pays pendant plus de deux siècles, se christianisent et réussissent à sauver une partie de l'héritage gréco-romain.

2   1

3

... et celui beaucoup plus durable des Arabes

Maîtres de l'Afrique du Nord, par une série de raids commencés hors de l'Arabie moins de trente ans après la mort du prophète (632), les Arabes ne tardent pas à « sauter » en Espagne (711). Un de leurs chefs, Tarik, débarque au pied du rocher qui porte son nom (Gibraltar, Djebel Al Tarik = le rocher de Tarik).

La conquête de l'Espagne commence. En un peu plus d'un siècle, les Arabes se rendent maîtres de la plus grande partie du pays, sauf l'extrême nord resté chrétien. Cordoue devient bientôt, pour un siècle, la somptueuse capitale d'un « califat » arabe qui dure jusqu'en 1031.

Peu après, l'Espagne est comme un prolongement des puissants empires créés de l'autre côté du détroit par les Almoravides à partir de 1086, puis les Almohades après 1146. Ils semblent tellement menaçants aux princes du Nord que ces derniers pour une fois unis et « croisés » infligent aux Arabes un coup d'arrêt décisif à Las Navas de Tolosa (1212). Désormais c'est à la chrétienté, et non plus à l'Islam, qu'appartient l'offensive, la « Reconquista ». Rude épreuve qui s'achève seulement en 1492 par la chute du dernier royaume maure, celui de Grenade, ville qui avec Séville et Cordoue, garde les plus étonnants témoignages artistiques de cette étrange période où Chrétiens et Musulmans ont échangé autant et plus d'influences culturelles que de coups sur les champs de bataille.

4

1 L'Alhambra de Grenade.

2 Les jardins de l'Alhambra.

3 Le Généralife à Grenade.

4 La cour des Lions de l'Alhambra.

5 La mosquée de Cordoue.

5

A vous de parler

Vous êtes à la gare et vous demandez des renseignements sur les horaires des trains. Comme dans les autres exercices du même type que vous avez déjà faits, le présentateur vous soufflera ce que vous devez dire.

de compras

Vous allez apprendre

- à préciser le genre d'articles que vous voulez acheter
- à vous renseigner sur les prix
- à comprendre les questions des commerçants
- un peu d'histoire contemporaine.

Avant de commencer

Cette leçon est riche en vocabulaire qui vous sera fort utile si vous allez en Espagne. Apprenez-le avec soin et comme certains mots ou expressions risquent de vous échapper, n'hésitez pas à reprendre par la suite cette leçon très importante.

Dialogues

Dialogues

1 Pepe achète des piles pour son lecteur de cassettes

Pepe	¿Me da cinco pilas?
Chica	¿Grandes o pequeñas?
Pepe	De esas, de las grandes ...
	¿ Son mejores éstas?
Chica	Son todas iguales.
Pepe	Iguales todas ... pues sí,
	cinco por favor. ¿Cuánto es todo?
Chica	Ciento cincuenta y cuatro.

● **igual** identique

♦ **¿son mejores éstas?** celles-ci sont-elles meilleures? Pour l'instant retenez **mejor** meilleur. Nous y reviendrons en détail p. 96.
♦ **¿cuánto es todo?** combien cela fait en tout?

2 Pepe fait le marché

Pepe	¿Cuánto cuesta la leche por favor?
Tendero	La leche, cuarenta y cinco pesetas el litro.
Pepe	¿Y botellas de medio litro no tiene?
Tendero	No, de medio litro no hay.
Pepe	Y las botellas de aceite, ¿de qué tamaño son?
Tendero	De litro o de dos litros.
Pepe	¿Y es aceite de oliva o aceite vegetal?
Tendero	Hay aceite de oliva, aceite de girasol y aceite de maíz.
Pepe	¿Cuál es el más caro?
Tendero	El más caro, el de oliva.

● **la leche** le lait
● **el tendero** le vendeur, le commerçant
● **el aceite** l'huile
● **el olivo** l'olivier
● **la oliva** l'olive
● **vegetal** végétal
● **el girasol** le tournesol
● **el maíz** le maïs

♦ **¿de qué tamaño son?** (littéralement de quelle taille, quelle capacité sont-elles?) combien contiennent-elles? Pour les vêtements, on emploie le mot **talla** taille : **¿qué talla es usted?** quelle taille faites-vous? ; pour les chaussures, le mot employé est **número** pointure :

♦ **¿qué número es usted?** quelle est votre pointure?

aceite de oliva, aceite de girasol y aceite de maíz huile d'olive, huile de tournesol et huile de maïs. Les Espagnols cuisinent beaucoup à base d'huile et notamment d'huile d'olive, d'où l'intérêt de Pepe pour les différentes variétés disponibles.

♦ **¿cuál es el más caro?** quelle est la plus chère? **Caro** se rapporte à **aceite** qui est masculin en espagnol ; nous avons là le superlatif de l'adjectif qualificatif. Le moins cher, le meilleur marché se dit **el más barato.** (Voir la « Grammaire » p. 95)

3 Chez l'épicier

Carmen	**Oiga, por favor, me da, que tengo prisa, tres botellas de leche, un litro de aceite, y una Coca-Cola pequeña, ¿cuánto es la Coca-Cola?**
Tendero	**A treinta pesetas.**
Carmen	**De acuerdo, y una lata de aceitunas negras, por favor.**
Tendero	**Estas son a treinta y nueve pesetas.**
Carmen	**Sí, de ésas y una docena de huevos, y qué más . . . Ah, sí mortadela, 200 gramos, ¿a cuánto es la mortadela?**
Tendero	**A 22 pesetas los 100 gramos.**
Carmen	**Pues eso 100 gramos y una bolsa de patatas fritas, sal gorda, un paquete de arroz . . .**
Tendero	**Sí, ahora mismo, ¿y quiere la señora alguna cosita más?**
Carmen	**Gracias, nada más.**

- **la lata** la boîte de conserves
- **negro(a)** noir(e)
- **la docena** la douzaine
- **la mortadela** la mortadelle
- **la bolsa** le sac
- **la patata frita** la frite
- **el paquete** le paquet
- **el arroz** le riz

tengo prisa je suis pressée (littéralement : j'ai hâte)
una docena de huevos une douzaine d'œufs
sal gorda gros sel. **Gordo** signifie gros : **un hombre gordo.**

4 John achète des souvenirs

John	Buenos días.
Tendero	Buenos días, señor, ¿qué desea?
John	Quiero comprar algo de recuerdo, es para un regalo.
Tendero	¿Desea algo típico?
John	Sí.
Tendero	¿Qué le parece este plato?
John	¿Pues es demasiado grande. ¿No tiene más . . . otro más pequeño?
Tendero	Tenemos éstos.
John	¿Cuánto cuestan?
Tendero	Cuatrocientas pesetas.
John	¡Qué caro! Cuatrocientas pesetas! ¡Eso es carísimo!
Tendero	Pero están muy bien hechos. No son caros.
John	Pues . . . ¿Y ésos son los más pequeños que hacen?
Tendero	Sí, éstos son los más pequeños y ésos los más grandes.
John	Entonces me llevo dos pequeños.
Tendero	Muy bien, son ochocientas pesetas. ¿Quiere algo más?
John	No. ¡No me queda dinero!
Tendero	Bien, señor.

- **el regalo** le cadeau
- **el plato** le plat ou l'assiette
- **demasiado** trop

♦ **quiero comprar algo de recuerdo** je voudrais acheter quelque chose en guise de souvenir. **Un recuerdo** signifie dans ce cas un souvenir (objet offert). Le même mot traduit aussi le souvenir que l'on garde d'une personne, d'un lieu, etc.
Recordar signifie se souvenir. C'est un verbe du premier groupe mais attention : il est irrégulier.
¿desea algo típico? vous désirez quelque chose de typique? **Típico** typique, traditionnel.
algo quelque chose traduit l'imprécision. **Alguien** signifie quelqu'un.
♦ **¿qué le parece este plato?** que pensez-vous de ce plat? (littéralement que vous semble ce plat?). Cette tournure très courante mérite toute votre attention.
♦ **¡qué caro!** oh, comme c'est cher!; de la même façon **¡qué inteligente!** signifie qu'il est intelligent! et **¡qué interesante!** comme c'est intéressant!

Notez que **qué** est toujours immédiatement suivi de l'adjectif qualificatif.
¡éso es carísimo! c'est très cher.
están muy bien hechos ils sont très bien faits. **Hecho** est le participe
passé du verbe **hacer.**
¿éstos son los más pequeños que hacen? ceux-ci sont les plus petits
que vous fabriquez? Voici un nouvel exemple de superlatif.
♦ **¿quiere algo más?** vous désirez autre chose? réplique favorite des
vendeurs. Une de vos réponses parmi d'autres sera **nada más** non rien
d'autre.

5 Pepe achète une valise

Chica	**Buenas tardes, ¿puedo atenderle?**
Pepe	**Sí, por favor. Una maleta. ¿Puede decirme cuál es la mejor?**
Chica	**¿La prefiere de tipo bolso, o maleta maleta?**
Pepe	**Um . . . de tipo, maleta maleta.**
Chica	**Maleta. Pues mire, tiene ésta, ésta es buena.**
Pepe	**¿Cuánto cuesta la más barata?**
Chica	**Cuatro mil setenta y cinco.**
Pepe	**¿También de cuero?**
Chica	**No, ésta es de polipiel, imitación a piel.**
Pepe	**¿Imitación a piel y son duras?**
Chica	**Sí, y además están rebajadas, están muy bien de precio.**

- **la maleta** la valise
- **barato(a)** bon marché
- **también** aussi, également
- **el cuero** le cuir
- **la piel** la peau
- **duro(a)** dur, solide
- **además** en outre, de plus

♦ **¿puedo atenderle?** (littéralement : puis-je m'occuper de vous) Est-ce
que je peux vous aider?
¿puede decirme cuál es la mejor? pouvez-vous me dire quelle est la
meilleure?
¿la prefiere de tipo bolso o maleta? préférez-vous un sac de voyage ou
une valise?
♦ **pues mire** tenez (littéralement : eh bien!, alors, regardez).
Mirar est un verbe régulier du premier groupe. Il est employé à
l'impératif qui vous sera expliqué dans la « Grammaire » du chapitre 12,
p. 167.
y además están rebajadas et de plus elles sont en promotion.
Las rebajas signifie les rabais, les soldes.
están muy bien de precio elles sont à un très bon prix.

Mots clés & expressions idiomatiques

¿puedo atenderle?
¿desea algo?
¿me da (cinco pilas) por favor?

quiero comprar (cinco pilas)
¿tiene (botellas de . . .)?
sí cuarenta y cinco el litro
¿de qué tamaño es?

¿cuál es . . .
    el más caro?
    el más barato?
quiere algo más?
sí (doscientos gramos) de mortadela
nada más
¿cuánto es (todo)?
¿tiene cambio de . . .?
¿desea algo típico?

puis-je vous aider?
vous désirez quelque chose?
pouvez-vous me donner (cinq piles) s'il vous plaît?
je désire acheter (cinq piles)
avez-vous (des bouteilles de...)?
oui 45 (pesetas) le litre
quelle est sa dimension, son contenu?
quel est...
    le plus cher?
    le meilleur marché?
vous désirez autre chose?
oui (200 grammes) de mortadelle

rien d'autre, c'est tout
combien cela fait-il (en tout)?
avez-vous de la monnaie de...?
vous voulez quelque chose de typique?

Poids et mesures

un litro de . . .
medio litro de . . .
un litro y medio
una botella de . . .
un kilo de...
medio kilo de . . .
doscientos gramos de . . .
una lata de . . .
una docena de . . .
una bolsa de . . .
un paquete de . . .

un litre de...
un demi-litre de...
un litre et demi
une bouteille de...
un kilo de...
une livre de...
200 grammes de...
une boîte de...
une douzaine de...
un sachet de...
un paquet de...

Mettez
en pratique
ce que vous avez appris

1 Un client fait ses courses dans un magasin. Les articles qu'il achète sont représentés ci-dessous. Cochez-les dans l'ordre où vous les entendez sur la cassette.
Notez bien : **una barra de pan** une baguette de pain. (Réponses p. 102)

2 Sur cette facture figure le prix et le nombre de certains articles qui viennent d'être achetés. A vous de transcrire le nom de ces articles au fur et à mesure que vous les entendrez sur la cassette. (Réponses p. 102)

el sombrero   le chapeau
la cantidad   la quantité

EL CORTE INGLÉS	
CANTIDAD	**PRECIO**
2	*700 ptas*
3	*1.500 ptas*
1	*3.000 ptas*
1	*250 ptas*

3 Écoutez une ou deux fois une vendeuse récapituler les achats de son client puis, appuyez sur la touche « pause » et établissez les correspondances entre les deux colonnes de l'encadré en reliant les mots par une flèche selon le modèle indiqué : **un kilo...de tomates** Combien le tout a-t-il coûté? (Réponses p. 102)

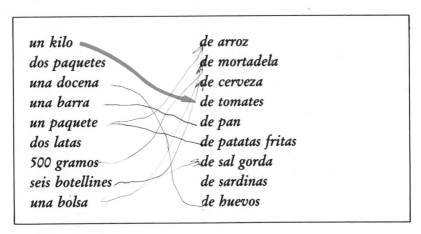

un kilo — *de arroz*
dos paquetes — *de mortadela*
una docena — *de cerveza*
una barra — *de tomates*
un paquete — *de pan*
dos latas — *de patatas fritas*
500 gramos — *de sal gorda*
seis botellines — *de sardinas*
una bolsa — *de huevos*

4 Vous allez entendre les propos échangés entre une vendeuse et une cliente qui n'est pas très facile à convaincre. Leur conversation est transcrite de manière incomplète. Pouvez-vous, après l'avoir écoutée, reconstituer les phrases?

Vocabulaire

el color   la couleur
burdeos   bordeaux (couleur)
marrón   brun, marron

Chica	**Buenas tardes. ¿Puedo atenderla?**
Señora	**Sí, quiero** _____ **un bolso.**
Chica	**Bien. ¿Qué tipo** _____ **quiere?**
Señora	**Quiero un bolso** _____ **por favor ¿ Los tiene**
	de _____ **?**
Chica	**Lo siento, de** _____ **no tenemos. Mire tenemos** _____ **son**
	grandes y los hay en varios _____
Señora	**¿Qué** _____ **tiene?**
Chica	_____ **, verde y** _____
Señora	**¿No** _____ **de otros colores?**
Chica	**No, de otros** _____ **no.**
Señora	**¿Cuánto** _____ **?**
Chica	**Estos — pues mil** _____
Señora	**Uy, ¡qué** _____ **!**
Chica	**No, señora** _____ **están rebajados.**
Señora	**¿No tiene más** _____ **?** _____ **de allí,**
	¿cuánto _____ **?**
Chica	_____ **mil** _____ **pero los tenemos sólo en** _____
Señora	**En marrón. Pues no. Muchas** _____ **señorita.**
Chica	**A** _____

Grammaire

Le comparatif et le superlatif

Le comparatif de supériorité de l'adjectif qualificatif se forme avec **más** placé devant l'adjectif :
caro (a, os, as) → **más caro (a, os, as)**
Le superlatif relatif (comparaison de plusieurs éléments entre eux) se forme avec **el (la, los, las) más** également placé devant l'adjectif :

el más caro	le plus cher
la más cara	la plus chère
los más caros	les plus chers
las más caras	les plus chères

Vous pouvez également rencontrer **carísimo** très cher qui est une autre forme de superlatif correspondant en français au superlatif absolu. Il exprime un jugement de valeur en soi sans comparaison de plusieurs éléments entre eux. Il se forme en ajoutant le suffixe **-ísimo** à l'adjectif.

Tout comme en français, certains adjectifs ont un comparatif et un superlatif irréguliers :

malo	mauvais	**peor**	pire	**el peor**	le pire
bueno	bien	**mejor**	meilleur	**el mejor**	le meilleur
grande	grand	**mayor**	plus grand	**el mayor**	le plus grand
pequeño	petit	**menor**	plus petit	**el menor**	le plus petit

Estas pilas son buenas, pero ¿son mejores o peores que ésas? Ces piles-ci sont bonnes, mais sont-elles meilleures ou de plus mauvaise qualité que celles-là ?

Autres expressions importantes :
bastante caro (a, os, as)   assez cher(e)s
demasiado caro (a, os, as)   trop cher(e)s
igual   identique, semblable

Le verbe « hacer »

HACER faire (verbe irrégulier)

Présent de l'indicatif
hago	**hacemos**
haces	**hacéis**
hace	**hacen**

Participe passé
hecho (a, os, as)   fait(e)s
hecho a mano   fait main

Lire & comprendre

Lisez le passage qui suit, puis répondez aux questions en cochant les cases appropriées. (Réponses p. 102)

Las islas Canarias son el paraíso del « shopping ». Whisky, tabaco, cámaras fotográficas o de cine, magnetófonos, transistores —todo es más barato que en sus países de origen. Desde una piel de cocodrilo de Nigeria, hasta el marfil tallado o la auténtica seda china; aquí se pueden encontrar los objetos más raros.
Y en las islas Baleares también hay tradición y mercado de artesanía : las perlas artificiales, la cerámica, los zapatos hechos a mano. En Mahón se pueden comprar muy buenos zapatos a precios muy razonables. Las perlas son famosas en Manacor y Felanitx. Menorca tiene una brillante tradición de hacer muebles y platos típicos.

Vocabulaire

la isla	l'île
el paraíso	le paradis
el magnetófono	le magnétophone
el país	le pays
el cocodrilo	le crocodile
el marfil tallado	l'ivoire taillé, sculpté
la seda	la soie
el zapato	la chaussure

a Quel est l'article fabriqué en Chine que vous pouvez acheter aux îles Canaries ?
- ☐ soie
- ☐ whisky
- ☐ chaussures

b Manacor est spécialisée dans
- ☐ la broderie
- ☐ les perles
- ☐ le verre

c Minorque a une tradition de fabrique de meubles ☐ oui
  ☐ non

d Le matériel de photo est moins cher aux îles Canaries que dans les pays qui le fabriquent : ☐ oui ☐ non

e La peau de crocodile vient de ☐ Chine
  du ☐ Nigeria
  de ☐ Majorque.

Le saviez-vous ? ?????

A la découverte du monde

La guerre serait-elle facteur d'unité ? Oui sans doute pour l'Espagne où elle avait conduit à la fondation de deux grands royaumes : l'Aragon et la Castille. En 1469, Ferdinand d'Aragon épouse Isabelle de Castille : l'Espagne est faite sous le signe de l'amour et de la raison d'État qui guident les « Rois catholiques ».

Mais le Portugal n'est pas de la fête. Indépendant au XIIe siècle, libéré des Maures au XIIIe siècle, il se consacre désormais à un autre type de conquête, celle des espaces marins. Le roi Henri le navigateur fait exécuter un ambitieux programme d'explorations navales : partir à la découverte de voies maritimes nouvelles en direction de l'Extrême-Orient. En 1485, la pointe extrême de l'Afrique est atteinte ; en 1498, Vasco de Gama est en Inde. Faut-il attribuer à ce brio dans l'exploration et au désir de l'égaler, les propositions faites aux rois catholiques par Christophe Colomb, cartographe génois qui avait travaillé au Portugal ?

Dans le sillage de Colomb se précipitent les « conquistadors » : un demi-siècle après lui, toute l'Amérique du Sud, l'Amérique Centrale et une bonne partie de l'Amérique du Nord, aujourd'hui encore truffée de noms espagnols, sont devenues le domaine de l'Espagne. Ainsi que, pour faire bonne mesure, des escales sur la côte africaine et les îles Philippines découvertes par la première expédition navale — celle de Magellan — à avoir prouvé, en en faisant le tour, que la terre était ronde. La péninsule a-t-elle trop présumé de ses forces ? Conquérir les « Eldorados », y maintenir l'ordre épuisent au XVIe siècle, avec Charles-Quint, un empire « sur lequel le soleil ne se couche jamais ».

Quand meurt Philippe II, fils de Charles-Quint, le désastre de l'Armada (1588) a déjà montré que l'empire des mers n'est pas éternel, mais convoité par de redoutables marins du nord.

Le XVIIᵉ siècle est celui de la décadence politique de l'Espagne, amorcée dès la fin du XVIᵉ siècle. Mais c'est aussi un moment privilégié pour la littérature et l'art : un véritable « siècle d'or » illustré par Cervantès, dont le « Don Quijote » passe pour être le plus célèbre roman du monde, par Lope de Vega (1562-1635) à l'inspiration inépuisable, par l'école espagnole de peinture avec Vélasquez.

2

1 Dessin extrait d'un manuscrit mexicain représentant Cortez et son armée.

2 Grenade, chapelle royale. Les « Rois catholiques » Ferdinand d'Aragon et Isabelle de Castille.

3 Peinture anonyme de l'École espagnole du XVIIIᵉ siècle. Cortez reçoit des présents des Indiens.

3

1 Portrait de Charles Quint.

2 Goya : « Le 2 mai 1808 ». La lutte contre les Mamelouks. Musée du Prado, Madrid.

3 Goya : « Le 3 mai 1808 ». Les fusillades de la colline du Principe Pio. Musée du Prado, Madrid.

Soubresauts et renouveau

Le xviiie siècle, « Siècle des Lumières », n'a pas délaissé la péninsule. Philippe V d'Espagne, descendant de Louis XIV, tente de remettre en ordre le commerce, la vie politique et les finances de son pays. La péninsule est convalescente en 1789 quand éclate la Révolution française. De 1793 à 1815, elle est entraînée dans le tourbillon de l'aventure révolutionnaire et surtout impériale. Contre l'intervention napoléonienne, elle inaugure une « guérilla » populaire immortalisée par Goya (« El dos y el tres de Mayo, 1808 »). Les traités de 1815 rendent leur indépendance aux deux États hispaniques dans leurs limites d'avant 1789. Mais le contrecoup du choc a été trop rude : les colonies portugaises et espagnoles d'Amérique se sont révoltées et deviennent indépendantes sans parvenir à s'unir comme l'eût souhaité Bolivar (1808-1826). A l'écart de la révolution industrielle qui triomphe plus au nord en Europe, l'Espagne et le Portugal sont agités de soubresauts qui témoignent de la difficulté qu'éprouve la société à s'adapter. C'est l'époque des coups d'État, des assassinats politiques, des désillusions aussi. En 1898, une guerre malheureuse contre les États-Unis fait perdre à l'Espagne Cuba, Puerto Rico et les Philippines.

Habilement tenue à l'écart des deux guerres mondiales, mais saignée par la terrible guerre civile (1936-1939) qui permet au dictateur Franco (1936-1975) de tuer la république (1931-1936), l'Espagne s'est beaucoup transformée. Sa puissance économique ambitionne d'égaler celle de l'Italie et de montrer son savoir faire en entrant dans la C.E.E. (1986). Redevenue démocratie libérale sous un roi Bourbon mis en place par Franco au soir de sa vie, l'Espagne est aujourd'hui, comme le Portugal, forte non seulement de son territoire et de son génie, mais plus encore de son rayonnement mondial : plus d'un homme sur huit de par le monde parle aujourd'hui une langue hispanique : le portugais (au Brésil, en Angola, au Mozambique) ou l'espagnol (le reste de l'Amérique latine et les Philippines). Seuls les Anglophones et les Chinois font mieux !

2

3

A vous de parler

Vous effectuez vos achats chez l'épicier. Reprenez votre cassette pour faire cet exercice.

Et, pour terminer, testez vos connaissances en révisant la rubrique « Mots-clés et expressions idiomatiques » et en réécoutant tous les dialogues du chapitre sans le livre.

Réponses

Mettez en pratique ce que vous avez appris : Exercice **1** trois boîtes de sardines à l'huile, une douzaine d'œufs, une baguette, six bouteilles de bière, deux cents grammes de jambon, deux boîtes d'olives noires, cinq cents grammes de café, cinq cents grammes de fromage, une glace au café. Exercice **2** platos, bolsos, maleta, sombrero. Exercice **3** un kilo de tomates, una barra de pan, una docena de huevos, un paquete de sal gorda, dos latas de sardinas, dos paquetes de arroz, quinientos gramos de mortadela, seis botellines de cerveza, una bolsa de patatas fritas. La note s'élève à 810 pesetas. Exercice **4** Les mots manquants sont : comprar; de bolso ; bastante grande; ante; ante; éstos; colores; colores; burdeos y negro; tiene; colores; cuestan; quinientas pesetas; caros; además; baratos ésos cuestan; aquellos pesetas marrón; gracias; usted.

Lire et comprendre : (a) de la soie (b) des perles (c) oui (d) oui (e) Nigeria.

en el almacén

Vous allez apprendre

- le nom de certains articles vestimentaires et sportifs
- à régler vos achats de différentes façons
- à préciser votre taille et les couleurs que vous désirez
- à acheter des médicaments
- comment utiliser les grands services publics en Espagne.

Avant de commencer

Si vous avez encore des hésitations sur les chiffres et les nombres, révisez-les au chapitre 4.

Suggestion : Si vous en avez la possibilité, écoutez une station espagnole sur votre poste de radio. Peut-être ne comprendrez-vous pas tout, surtout au début — mais du moins vous familiariserez-vous avec le rythme et l'intonation de la langue.

Dialogues

Dialogues

1 Pepe cherche des articles de sport

Pepe	Oiga. ¿Venden ustedes artículos de deporte?
Dependiente	Sí, sí. Los tenemos aquí en la planta baja.
Pepe	¿Venden ustedes cosas para tenis?
Dependiente	Sí, sí, vestidos, pantalones, pelotas, raquetas, de todo, vamos ...
Pepe	¿Y venden ustedes también artículos para fútbol?
Dependiente	Botas, medias, camisetas, pantalones, jerseys, balones, todo, todo.
Pepe	Bien, muchas gracias.
Dependiente	De nada.

- **el artículo** l'article
- **el deporte** le sport
- **la cosa** la chose
- **el tenis** le tennis
- **el vestido** la robe
- **la pelota** la balle
- **la raqueta** la raquette
- **el fútbol** le football
- **la bota** la botte, ici, la chaussure
- **las medias** les bas
- **la camiseta** la chemisette, le tee-shirt
- **el jersey** le pullover
- **el balón** la balle

♦ **de todo, vamos ...** de tout, naturellement (littéralement de tout, allons) ; le verbe conjugué ici est le verbe **ir.** Apprenez-le car il est des plus irréguliers :
Présent de l'indicatif du verbe **ir**

voy   vamos
vas   vais
va   van

♦ Retenez l'expression **ir de compras** ou **salir de compras** qui signifie aller faire des courses.

2 Au rayon des mantilles ...

Pepe	Por favor, ¿venden ustedes mantillas aquí?
Dependiente	Sí, sí, mantillas. ¿Cómo las desea pequeñitas o grandes? Porque las hay de varios tamaños. Las hay pequeñitas, desde unas mil doscientas pesetas hasta las grandes sobre siete mil pesetas.
Pepe	¿Y cuán ... cuánto cuesta ésta?
Dependiente	Esta es bastante barata, vale unas dos mil pesetas.
Pepe	¿Y son todas negras como ésta?
Dependiente	Las tenemos beige, azul, gris, doradas, plateadas; las tenemos también estampadas y en varios tamaños.

- **pequeñitas** très petites
- **beige** beige
- **azul** bleu
- **gris** gris
- **doradas** dorées
- **plateadas** argentées
- **estampadas** imprimées

la mantilla la mantille, écharpe en dentelle portée traditionnellement par les femmes en Espagne.

♦ **hasta las grandes sobre siete mil pesetas** jusqu'aux grandes qui valent environ sept mille pesetas. Ici **sobre** signifie environ, à peu près. Mais le sens le plus courant de **sobre** est sur : **sobre la mesa** sur la table. Notez que le contraire de **sobre** est **debajo de** sous : **debajo de la mesa** sous la table.

Ce dialogue vous a permis de découvrir le nom de quelques couleurs en espagnol. Nous vous suggérons d'apprendre aussi celles qui suivent :

♦ **blanco** blanc, **rojo** rouge, **verde** vert, **amarillo** jaune, **rosa** rose, **anaranjado** orange, **morado** violet.

3 ... et des foulards

Pepe	**¿Y venden pañuelos de cabeza?**
Dependiente	**Sí, también tenemos pañuelos de cabeza.**
Pepe	**¿Y cuánto cuestan los más caros?**
Dependiente	**Los más caros . . . dos mil pesetas.**
Pepe	**Los pañuelos ¿de qué son? Los pañuelos de cabeza, ¿son todos de algodón o de . . .?**
Dependiente	**No, no los hay de algodón, de batista, de poliester, de crepe, de seda natural.**
Pepe	**¿Y cuáles son los más baratos?**
Dependiente	**Los de poliester, claro.**

- **el pañuelo de cabeza** le foulard
- **el algodón** le coton
- **la batista** la batiste
- **el poliester** le polyester
- **el crepe** le crèpe (tissu)
- **la seda** la soie

▶ **¿de qué son?** en quoi sont-ils?
los de poliester ceux en polyester
Dans ces deux exemples, **de** traduit « en » pour indiquer la matière dont sont faits les foulards.

4 Pepe demande conseil

Jefe	**Buenas tardes.**
Pepe	**Buenas tardes, deseo comprar una chaqueta pero no sé qué tipo de chaqueta. ¿Podría aconsejarme?**
Jefe	**Sí, ¡cómo no! Podríamos aconsejarle una chaqueta de cheviot, es propia de esta época. No es muy gruesa, ni muy fina.**
Pepe	**¿Tiene de otros colores? Porque éstos . . .**
Jefe	**Tenemos varios tonos de color, como son los grises, los verdes, los marrones, o las clásicas blazers, azul marino.**
Pepe	**¿Cuánto cuesta ésta?**
Jefe	**Estos tipos de chaquetas tienen varios precios, según calidades, y terminaciones, oscilan entre siete y once mil pesetas: ¿ se la quiere probar el señor?**

- **el jefe (de sección)** le chef de rayon
- **el tono** le coloris
- **verde** vert
- **según** selon
- **la calidad** la qualité
- **la terminación** la finition
- **oscilar** varier

deseo comprar una chaqueta je désire acheter une veste.

♦ **¿podría aconsejarme?** pourriez-vous me conseiller? Le temps employé est le conditionnel qui exprime la façon polie de s'adresser à une personne. Nous y reviendrons au chapitre 15.

es propia de esta época elle convient à cette saison, cette période de l'année.

♦ **no es muy gruesa, ni muy fina** elle n'est pas trop épaisse ni trop légère. Vous remarquerez que **muy** qui se traduit d'ordinaire par « très » signifie ici trop (synonyme de **demasiado** appris au chapitre précédent).

¿ se la quiere probar el señor? monsieur veut-il l'essayer?

---

5   **Pepe cherche un pantalon assorti à sa veste**

Jefe	**Buenas tardes, ¿en qué podemos serle útil?**
Pepe	**Estoy buscando unos pantalones.**
Jefe	**Sí, ¿para usted?**
Pepe	**Sí, para mí . . .**
Jefe	**Para usted. Vamos a sacar las medidas por favor, para saber su talla.**
	Sí, cuarenta y dos . . .
	¿Usted lo desea
	para esta época
	o lo prefiere para verano?
Pepe	**Para verano.**

● **el verano** l'été

♦ **¿en qué podemos serle útil?** en quoi pouvons-nous vous être utile? **estoy buscando unos pantalones** je cherche des pantalons. Autre exemple : **estoy buscando una falda** je cherche une jupe (**la falda** la jupe). Dans ces deux exemples, le verbe **estar** est conjugué au présent et suivi du participe présent du verbe conjugué. Il s'agit de ce que nous pourrions appeler le présent continu. En effet, il exprime une action qui est en train de se dérouler au moment où l'on parle et qui dure un certain temps (d'où l'appellation « présent continu »). Une des traductions possibles est : je suis en train de (chercher) = **estoy buscando.**

vamos a sacar las medidas, por favor, para saber su talla nous allons prendre vos mesures, s'il vous plaît, pour savoir votre taille. Essayez de demander votre taille en espagnol : **¿tiene la talla 38?** avez-vous la taille 38 ?

6 Comment régler vos achats

Pepe	**¿Puedo pagar con tarjeta de crédito por favor?**
Jefe	**Por supuesto, con cualquier tarjeta que sea de uso normal puede usted hacer su compra dentro de nuestro establecimiento.**
Pepe	**Bien, muchas gracias.**

• **la tarjeta** la carte

¿puedo pagar con tarjeta de crédito? puis-je payer avec une carte de crédit ?
Pepe aurait pu demander **¿puedo pagar con cheques de viaje?** puis-je payer avec des chèques de voyage ?

◆ **con cualquier tarjeta que sea de uso normal puede usted hacer su compra dentro de nuestro establecimiento** vous pouvez faire vos achats dans notre établissement avec n'importe quelle carte d'utilisation courante. C'est là une formule très élaborée qu'emploie le chef de rayon, faisant allusion aux différents modes de paiement tels que les cartes « Visa » « American Express », etc.
Un mot doit retenir votre attention dans cette phrase : **cualquier** n'importe quel. Cet adjectif indéfini est invariable au singulier lorsqu'il est placée devant le nom : **cualquier tarjeta, cualquier chico.**

7 Luisa cherche une robe originale

Jefe	**Buenas tardes, señora, ¿qué deseaba?**
Luisa	**Gracias, estoy mirando un poco a ver qué tienen . . . algo de fantasía, algo distinto.**
Jefe	**Quiere usted pasar por aquí, vamos a mostrarle . . .**
Luisa	**Vale, yo me quedo con este vestido que me gusta. ¿Dónde puedo pagarlo?**
Jefe	**Pague usted en caja por favor . . .**

• **pagar** payer

◆ **¿qué deseaba?** que désiriez-vous ? Il s'agit là encore d'une façon très polie de s'exprimer. Mais ici, le temps employé est l'imparfait alors qu'au dialogue 4, c'était le conditionnel. Retenez dès maintenant que l'imparfait des verbes du 1er groupe en **-ar** se forme avec la terminaison **-aba, -abas, -aba, -ábamos, -abais, -aban.**

DESEAR désirer
Imparfait de l'indicatif
deseaba   deseábamos
deseabas   deseabais
deseaba   deseaban
quiere usted pasar por aquí, vamos a mostrarle . . . voulez-vous passer par ici, nous allons vous montrer... L'expression aller + verbe se traduit par **ir** + **a** + verbe : **ir a comprar** aller acheter, **ir a comer** aller manger.

8 Chez le pharmacien

Pepe	**¿Tiene alguna medicina para dolores de estómago por favor?**
Farmacéutica	**Sí, sí, ¿Es para ardor de estómago, dolores o mala digestión?**
Pepe	**Algo para la digestión, para malas digestiones . . .**
Farmacéutica	**Malas digestiones . . . pues sí, ¿lo quería en comprimidos o en jarabe?**
Pepe	**En comprimidos por favor.**
Farmacéutica	**Estos comprimidos tienen un efecto bastante rápido.**
Pepe	**Bien, y tienen también bronceadores, algún bronceador?** . . .
Farmacéutica	**Sí, a éste otro lado . . . mire.**

- **el dolor**   la douleur, le mal
- **la farmacéutica**   la pharmacienne
- **el ardor**   la brûlure (aussi l'ardeur)
- **el comprimido**   le comprimé
- **el jarabe**   le sirop
- **el bronceador**   le produit solaire

▸ **¿tiene alguna medicina para dolores de estómago?** avez-vous un médicament pour les maux d'estomac? **Algún,** adjectif indéfini, s'accorde avec le nom auquel il se rapporte : **alguna medicina** quelque médicament, **algunos chicos** quelques enfants.
Souvenez-vous que tous les mots terminés en **-or** sont masculin sauf :
la sor la sœur (religieuse), **la flor** la fleur, **la coliflor** le chou-fleur, **la labor** le travail.
¿para ardor de estómago, dolores o mala digestión? pour des brûlures d'estomac, des douleurs ou une digestion difficile?
¿lo quería en comprimidos? le voulez-vous en comprimés? Encore un imparfait de politesse.
Jarabe para la tos sirop contre la toux

Mots clés & expressions idiomatiques

¿en qué podemos serle útil?	en quoi pouvons-nous vous être utile?
¿qué deseaba?	que désirez-vous?
¿venden ustedes (artículos de deporte)?	vendez-vous (des articles de sport)?
estoy buscando (unos pantalones)	je cherche (des pantalons)
deseo comprar (una chaqueta)	je désire acheter (une veste)
¿qué tipo de (chaqueta)?	quel genre de (veste)?
¿tiene la talla (cuarenta y dos)?	avez-vous la taille (42)?
¿tiene algo (alguna medicina) para (el dolor de estómago)?	avez-vous quelque chose (un médicament) pour (le mal d'estomac)?
yo me quedo con (éste)	je prends (celui-ci)
¿puedo pagar con...	puis-je payer avec...
tarjeta de crédito?	une carte de crédit?
cheques de viaje?	des chèques de voyage?
¿dónde puedo pagar?	où puis-je payer?
¿dónde puedo pasar a pagar?	où puis-je aller pour payer?
pase usted a la caja	allez à la caisse
¿usted lo desea por ahora?	le voulez-vous maintenant?

¿Puedo pagar con cheques de viaje?

Mettez en pratique ce que vous avez appris

1 Vous allez entendre une conversation entre une cliente et une vendeuse. Après avoir écouté le dialogue, arrêtez votre lecteur de cassettes et cochez les cases correspondants aux articles choisis par la cliente. (Réponses p. 118)

la ropa les vêtements, l'habillement

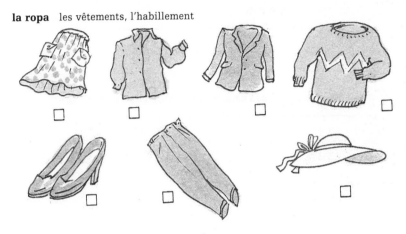

2 A partir des deux conversations enregistrées, retrouvez les articles demandés par le client et ceux demandés par la jeune femme qui l'accompagne. Tracez une ligne pour relier chaque article à son destinataire. (Réponses p. 118)

3 Carlos est en train de faire ses courses. Après avoir écouté la cassette autant de fois que vous le jugerez utile, répondez en français aux questions ci-dessous. (Réponses p. 118)

a Que veut acheter Carlos ?

---

b D'après lui, quelle est sa taille ?

---

c Quel est le bleu qu'il demande ?

---

d Combien de qualités de tissus lui propose-t-on ?

---

e Qu'est-ce qui ne convient pas dans le premier vêtement qu'il essaie ?

---

f Qu'est-ce qui ne va pas avec le suivant ?

---

g Combien coûte le vêtement qu'il achète ?

Grammaire

Le verbe « poder »

PODER pouvoir, être capable, avoir la permission de (verbe irrégulier). Vous connaissez déjà la forme **se puede** on peut et **no se puede** on ne peut pas (voir chapitre 5).

Présent de l'indicatif
puedo   podemos
puedes   podéis
puede   pueden

Ce verbe peut être suivi d'un verbe à l'infinitif tout comme **querer** que vous avez déjà vu :
¿y ahora puedo hacer la maleta? et maintenant puis-je faire la valise ?
¿puedo cambiar dinero aquí? puis-je changer de l'argent ici ?
quiero comprar un vestido je veux acheter une robe

Les verbes « saber » et « conocer »

SABER (verbe irrégulier)   **CONOCER** (verbe irrégulier)
Présent de l'indicatif

sé	**sabemos**	**conozco**	**conocemos**
sabes	**sabéis**	**conoces**	**conocéis**
sabe	**saben**	**conoce**	**conocen**

Saber signifie savoir alors que **conocer** traduit le verbe connaître au sens de connaître une personne, une chose ou un lieu :
conozco Francia je connais la France   **sé nadar** je sais nager

Notez bien : **¿conoces a Luisa?** connais-tu Louise ?
Attention ! Lorsque le complément d'objet direct est une personne, il doit être précédé de la préposition **a.** Cette règle est valable pour tous les verbes sauf **tener :**
miramos a la señora   mais   **tenemos un chico**

Les pronoms personnels complément d'objet direct

me	me	**nos**	nous
te	te	**os**	vous
lo, le	le, vous **(Ud.)**	**los, les**	les, vous **(Uds.)**
la, la	la, vous **(Ud.)**	**las, les**	les, vous **(Uds.)**

¿Por qué me miras así? Pourquoi me regardes-tu ainsi ?
¿Quiere el libro? Sí, lo quiero. Voulez-vous le livre ? Oui, je le veux.
¿Tiene la maleta? No, no la tengo. Avez-vous la valise ? Non, je ne l'ai pas.
¿Nos esperas en el salón? Tu nous attends au salon ?
¿Le espero en el hotel? Je vous attends à l'hôtel (le locuteur vouvoie la personne à laquelle il s'adresse).
¿Quiere unos pantalones? ¿Los quiere de algodón? Vous voulez des pantalons ? Les voulez-vous en coton ?
¿Les espero en el hotel? Je vous attends à l'hôtel ? (la personne qui parle s'adresse à plusieurs interlocuteurs qu'elle vouvoie).

Notez que le pronom personnel complément d'objet se place devant le verbe sauf si ce dernier est à l'infinitif ou à l'impératif. Dans ces deux cas, le pronom s'unit à la terminaison du verbe :
Voy a comprarlo. Je vais l'acheter.
¿Vas a visitarla? Tu vas lui rendre visite ?
Ponte cerca de la mesa. Mets-toi près de la table.
Quédese con la vuelta. Gardez la monnaie.

SCOTT - ESCRIBANO / L'ESPAGNOL C'EST FACILE 5

Lire & comprendre

FARMACIAS

Martes, 18 noviembre
Farmacias abiertas de
1.30 a 4.30 tarde

Rubi Ponseti: Sindicato,
50. Tel. 212610.

Magdalena Salgado:
Isaac Albéniz, 16 (Son
Oliva). Tel. 297971.

Oliver Ferrer: José
Alemany Vich, 7 (Junto
Htas, de los Pobres)
(Bda. Gral Riera).
Tel. 291159.

Abiertas de 8 a 10 noche

Bernat Delteil: Colón,
18. Tel. 212173.

Calafell Clar:
Sindicato, 41.
Tel. 211446.
Cortes: Nuño
Sanz, 42 (Travesia
Balmes) Hostelets.
Tel. 273996
De 10 noche a 9
mañana
Miró Forteza: Colón,
6. Tel. 211368.

1 a Cochez les noms des pharmacies ouvertes de 13 h 30 à 16 h 30.
       Bernat Delteil
       Rubi Ponseti
       Miró Forteza
    b Combien de pharmacies sont ouvertes toute la nuit?...
    c Quand la pharmacie Cortes est-elle ouverte?...
    d Quel est le numéro de téléphone de la pharmacie Oliver Ferrer?... (Réponses
       p. 118)

2 Lisez le formulaire ci-dessous et complétez-le :
rellene remplissez (**rellenar** remplir)
el cupón le bon, le bordereau, le formulaire
envíelo envoyez-le, adressez-le (**enviar** envoyer)
el apartado de correos la boîte postale
el domicilio le domicile

Si quiere tener una tarjeta de banco, rellene este
cupón y envíelo a Apartado de Correos 1, 245 Madrid

TARJETA DE CRÉDITO

Nombre————————————————————

Domicilio————————————————————

————————————————————

Teléfono————————————————————

Firma————————————————————

Le saviez-vous ??????

La poste et le téléphone

A l'exception du téléphone, les bureaux de poste **casas de correos,** appelés **Palacio de Telecomunicaciones** dans les très grandes villes, offrent des services similaires à ceux des postes françaises.

Vous pouvez faire adresser votre courrier poste restante **lista de correos** si vous n'avez pas de domicile fixe lors de votre séjour en Espagne.

Pour l'affranchissement de votre courrier, une phrase clé à retenir : **cúal es el franqueo de ... (una carta, una tarjeta)?** Quel est le tarif d'affranchissement d'une... (lettre, carte postale)? Sachez que comme en France vous pouvez acheter des timbres **los sellos** non seulement aux guichets des bureaux de poste mais aussi dans les bureaux de tabac. De toutes façons, familiarisez-vous avec la formule suivante : **tres sellos de a diez pesetas** trois timbres à dix pesetas. Pour téléphoner, vous pouvez utiliser soit les cabines téléphoniques publiques **los locutorios,** soit les services de la Compagnie Privée des Téléphones **Centro Telefónico** qui a des bureaux dans toutes les villes.

Si c'est vous qui téléphonez, dîtes d'abord : ¡**oiga!** allo (littéralement : écoutez-moi). Si au contraire vous recevez une communication, vous direz : ¡**dígame!** allo (littéralement : dites-moi).

Pour vos achats

Pour faire votre marché, vous pourrez choisir entre le supermarché **el supermercado** ou le petit magasin de quartier **la tienda.** Afin de vous aider à remplir votre panier, voici le nom des principaux commerçants qui vous permettront de vous procurer le minimum vital : l'épicerie **tienda de ultramarinos** — la boucherie **carnicería** — la charcuterie **salchichería** — le magasin de primeurs **verdulería** et la crèmerie **mantequería.**

Si vous voulez rapporter des souvenirs et des cadeaux, souvenez-vous que l'artisanat espagnol est une activité très ancienne et très florissante, qui occupe encore près d'un million de personnes. Vous pourrez, au gré de vos déplacements, contempler les verreries catalanes, le cuir cordouan, l'orfèvrerie de Tolède ou les broderies et dentelles des Iles Canaries. Si vous trouvez à Madrid, n'oubliez pas son célèbre marché aux puces **El Rastro** qui est un vrai paradis de la brocante. Autre paradis pour le touriste, l'Andorre, enclave montagneuse de 500 km^2 située entre l'Ariège et la province espagnole de Lerida, qui est, depuis 1278, une cosuzeraineté partagée entre l'Évêque d'Urgel et le Président de la République française. Les prix y sont très intéressants car ils sont calculés hors taxes.

Quelques conseils

Si, lors de votre séjour espagnol, vous connaissez des problèmes de santé, n'hésitez pas à demander les conseils d'un pharmacien ou à consulter un médecin **un médico.**
Sachez qu'en l'état actuel de la législation sociale, vous devrez payer votre consultation **la consulta** et que les honoraires **honorarios** en sont libres.
En cas d'urgence la **Guardia civil** vous dirigera sur l'hôpital compétent. Essayez de retenir quelques-unes des expressions qui suivent pour faciliter le diagnostic du docteur et hâter votre guérison :

no me siento bien . . .	je ne me sens pas bien...
estoy enfermo(a)	je suis malade
me duele . . .	j'ai mal...
la cabeza	à la tête
la espalda	au dos
el corazón	au cœur
una pierna	à une jambe
tengo dolor de garganta	j'ai mal à la gorge
estoy acatarrado, constipado	j'ai un rhume
me mareo	j'ai des vertiges, des nausées
tengo calentura	j'ai de la fièvre

Et, si comble de malchance, vous avez mal aux dents, **dolor de muelas,** il ne vous reste qu'une solution : consulter **un dentista.**
En tout état de cause : **¡que se mejore!** meilleure santé !

1 Le Rastro à Madrid.

2 Artisan travaillant le fer forgé.

3 Atelier d'artisanat.

A vous de parler

Vous êtes au rayon « articles de sport » d'un grand magasin. Le présentateur va vous souffler ce que vous devez dire à la vendeuse.

ida y vuelta

Vous allez apprendre

- à préciser l'endroit où vous voulez vous rendre
- à utiliser les moyens de transport en commun
- à acheter des billets simple et aller-retour
- le vocabulaire utilisé dans les stations service et chez les garagistes.
- comment utiliser les moyens de transport.

Avant de commencer

Si vous le pouvez, organisez vous-même vos voyages ; vous serez ainsi beaucoup plus libre. Ce chapitre contient une grande partie du vocabulaire qui vous sera indispensable pour préparer vos déplacements. Il sera souvent question d'heures, de dates, etc. Il serait donc souhaitable que vous révisiez le chapitre 5 avant d'entreprendre celui-ci.

Dialogues

Dialogues

1 Le lycée est-il loin ?

Pepe	¿Se puede ir a pie hasta tu colegio?
Estudiante	¡Hombre no! Está demasiado lejos. Tengo que coger el autobús.
Pepe	¿A qué distancia está?
Estudiante	A unos dos kilómetros.

- **el colegio** le lycée, le collège
- **el estudiante** l'étudiant
- **la distancia** la distance

¿se puede ir a pie hasta tu colegio? peut-on aller à ton lycée à pied ?
¿se puede ir en coche? peut-on y aller en voiture ? **¿se puede ir en tren?**
peut-on y aller en train ? (Voir « Mots-clés et expressions idiomatiques »
pour d'autres exemples.)

2 Taxi, vous êtes libre ?

Pepe	Taxi, ¿queda libre?
Taxista	Sí, señor, ¿para dónde?
	¿Para dónde va Vd.?
Pepe	A la catedral, por favor.
Taxista	Ya hemos llegado.
Pepe	Estupendo. ¿Cuánto es?
Taxista	225 pesetas.
Pepe	Aquí, tiene . . . vale, quédese con la vuelta.

¿Taxi, queda libre? taxi, êtes-vous libre ? Vous pouvez également dire
¿está libre? comme le fait Pepe dans le dialogue 3.
♦ **¿para dónde?** pour (aller) où ? Dans la réponse à cette question, le
complément de lieu doit être précédé de **a** qui indique le mouvement, le
déplacement :
a la catedral à la cathédrale **al ayuntamiento** à la mairie **al aeropuerto**
à l'aéroport
al est la contraction de **a** plus **el,** de même **del** est la contraction de **de**
plus **el.**
♦ **ya hemos llegado** nous sommes arrivés. **Ya** sert à renforcer une
affirmation et signifie également déjà : **hace ya diez años** cela fait déjà
dix ans.
¿cuánto es? ¿cuánto le debo? combien est-ce ? combien vous dois-je ?
quédese con la vuelta gardez la monnaie.

3 Pas de chance!

Pepe	**Taxi, taxi, ¿está libre?**
Taxista	**Lo siento señor, pero ya voy para casa; no le puedo coger ... más abajo tiene Vd. una parada de taxis.**

- **coger** prendre
- **la parada** l'arrêt

▸ **más abajo** plus bas. **Más arriba** signifie plus haut.

4 A la station service

Gasolinero	**Buenos días, ¿quiere súper o normal?**
Pepe	**Súper, por favor.**
Gasolinero	**¿Quiere que lo llene?**
Pepe	**No, sólo quince li ... no, veinte litros por favor.**
Gasolinero	**Sí, claro, aquí tiene, veinte litros de súper. ¿Quiere que le mire el nivel del aceite?**
Pepe	**No, gracias, no es necesario.**
Gasolinero	**¿Y quiere que compruebe la presión de las ruedas?**
Pepe	**Sí, las ruedas, sí, por favor, especialmente las dos de delante.**
Gasolinero	**Vale. ¿Quiere que limpie el parabrisas?**
Pepe	**Sí, sí, porque está muy, muy, muy sucio, sí.**
Gasolinero	**De acuerdo. Ahora mismo.**

- **el gasolinero** le pompiste
- **el nivel** le niveau
- **necesario** nécessaire, indispensable
- **sucio** sale
- **de acuerdo** d'accord, entendu

▸ **¿quiere que lo llene?**
voulez-vous que je fasse le plein?
¿quiere que le mire el nivel del aceite?
voulez-vous que je vérifie le niveau d'huile?
¿quiere que compruebe la presión de las ruedas? voulez-vous que je vérifie la pression des pneus?
¿quiere que limpie el parabrisas? voulez-vous que je lave le parebrise?
Dans ces quatre exemples, vous noterez que les verbes **llenar, mirar, comprobar** (essayer, vérifier), **limpiar** (nettoyer) qui sont tous du premier groupe sont conjugués au présent du subjonctif. En effet, dans les phrases introduites par **querer que** le verbe est toujours conjugué au subjonctif. Pour la conjugaison de ce temps, reportez-vous à la « Grammaire » du chapitre 12, p. 166.

especialmente las dos de delante spécialement les deux de devant.
Delante signifie devant, à l'avant. **Las dos de atrás** les deux de l'arrière.
Atrás signifie derrière, à l'arrière.
Comme **abajo** et **arriba** vus dans le dialogue 3, **atrás** et **delante** sont
deux adverbes.
♦ **ahora mismo** tout de suite.

5 Pepe a des ennuis

Pepe	**Oiga, ¿pueden repararme Vds. una rueda? Es que no llevo rueda de repuesto.**
Gasolinero	**De acuerdo, entonces ¿la necesita para ahora mismo?**
Pepe	**Sí, sería conveniente, porque no me gusta viajar sin rueda de repuesto.**
Gasolinero	**Bien, ¿puede esperar como un cuarto de hora o así?**
Pepe	**Sí, si es sólo cuestión de un cuarto de hora, sí, pero si es más, me voy y vuelvo dentro de un rato.**
Gasolinero	**No, no, será como un cuarto de hora o media hora.**
Pepe	**Estupendo, muy bien. Entonces espero. ¿Dejo el coche aquí o lo llevo un poco más adelante?**
Gasolinero	**No, puede dejarlo allí mismo.**
Pepe	**Bien, bueno, estupendo.**
Gasolinero	**Vale.**

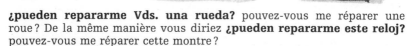

- **la rueda de repuesto** la roue de secours
- **necesitar** avoir besoin de
- **así** ainsi
- **la cuestión** la question
- **un rato** un moment
- **será** ce sera
- **dejar** laisser
- **allí mismo** là-même

¿pueden repararme Vds. una rueda? pouvez-vous me réparer une
roue? De la même manière vous diriez **¿pueden repararme este reloj?**
pouvez-vous me réparer cette montre?
no llevo rueda de repuesto je n'ai pas de roue de secours.
sí, sería conveniente littéralement oui, ce serait souhaitable. Nous
avons encore une fois le conditionnel dans cette phrase : **sería** (voir la
« Grammaire » du chapitre 15, p. 212.)
no me gusta viajar sin rueda de repuesto je n'aime pas voyager sans
roue de secours. **El viaje** le voyage. Retenez la tournure **no me gusta** il ne
me plaît pas ; **me gusta** traduit il me plaît. Attention : **gustar** = plaire.
♦ **me voy y vuelvo dentro de un rato** je pars (je m'en vais) et reviens d'ici
un moment. **Dentro de** (préposition) signifie à l'intérieur de, dans, d'ici.
Le contraire de **dentro de** est **fuera de** hors de.
¿lo llevo un poco más adelante? est-ce que je la déplace un peu plus
vers l'avant?

6 A la gare

Pepe	Por favor, un billete para Madrid.
Taquillera	¿Para qué día lo desea?
Pepe	Para mañana.
Taquillera	Mañana, ¿a qué hora quiere usted salir?
Pepe	¿Por la noche es posible?
Taquillera	Sí, por la noche tiene usted uno a las once.
Pepe	Bueno, me viene muy bien.
Taquillera	¿De qué clase le doy? ¿De primera o de segunda?
Pepe	¿Cuánto cuesta? ¿Cuál es la diferencia?
Taquillera	Aproximadamente unas seiscientas pesetas. Dos mil doscientas en primera y mil seiscientas diez en segunda.
Pepe	Bueno, en segunda por favor.
Taquillera	En segunda. ¿Ida y vuelta quiere Vd.?
Pepe	No, sólo ida, sólo ida.
Taquillera	Son mil seiscientas diez pesetas.
Pepe	Bien.
Taquillera	¿Tiene usted diez pesetas sueltas? Muy bien, gracias.
Pepe	Adiós.
Taquillera	Adiós.

- **salir** partir, sortir
- **posible** possible
- **la diferencia** la différence

¿para qué día lo desea? (littéralement : pour quel jour le voulez-vous ?) quel jour voulez-vous partir ?
♦ **para mañana** pour demain. Vous connaissez déjà l'autre sens de **mañana** qui signifie aussi le matin.
♦ **mañana por la mañana** demain matin ; **mañana por la tarde** demain après-midi.
bueno, me viene muy bien bien, cela me convient.
¿de qué clase le doy? ¿de primera o de segunda? quelle classe est-ce que je vous donne ? En première ou en seconde ? Les réponses possibles sont : **primera/segunda clase por favor** première/deuxième classe, s'il vous plaît. Retenez la forme **doy** qui est la première personne du singulier du présent de l'indicatif (la seule qui soit irrégulière) du verbe **dar** donner : **doy, das, da, damos, dais, dan.**
♦ **¿ida y vuelta quiere usted?** voulez-vous un aller-retour ? Votre réponse pourra être : **un billete de ida y vuelta por favor** un billet aller-retour, s'il vous plaît ou bien : **sólo ida, ida solamente** un aller-simple.
Notez l'expression **sacar un billete** acheter un billet (de train, d'avion, etc.)
¿tiene usted diez pesetas sueltas? avez-vous les dix pesetas ?

Mots clés & expressions idiomatiques

¿a qué distancia está (la catedral)?
à quelle distance se trouve (la cathédrale)?
se puede ir...
peut-on y aller...
  en autobús?
  en bus?
  en coche?
  en voiture?
  en bicicleta?
  à bicyclette?
  a pie?
  à pied?

¿queda libre?
vous êtes libre?
al ayuntamiento por favor
à la mairie, s'il vous plaît
a la catedral por favor
à la cathédrale, s'il vous plaît
¿cuánto le debo?
combien vous dois-je?

¿tiene súper?
avez-vous du super?
no, sólo normal
non, seulement de l'ordinaire
(veinte) litros de súper
(20) litres de super
¿pueden repararme...
pouvez-vous me réparer...
  una rueda?
  une roue?
  el coche?
  la voiture?

un billete para (Madrid) por favor
un billet (pour Madrid) je vous prie
en (primera/segunda) clase
en (première/deuxième) classe
un billete de ida y vuelta
un billet aller et retour
ida solamente
un aller simple

Mettez en pratique ce que vous avez appris

1 Dans la conversation ci-dessous rétablissez l'ordre des mots dans chaque phrase. Vérifiez vos réponses p. 130.

Elena	**¿libre taxi queda?** _____
Taxista	**¿dónde para sí?** _____
Elena	**por estación la a favor** _____
Taxista	**ésta estación la es** _____
Elena	**¿cuánto le gracias debo?** _____
Taxista	**cincuenta pesetas ciento** _____
Elena	**aquí bien tiene lo** _____

2 Complétez ces mots croisés. Les définitions sont enregistrées et la première lettre de chaque mot vous est donnée. (Réponses p. 130)

Vocabulaire

el crucigrama	les mots croisés
horizontales	horizontalement
verticales	verticalement

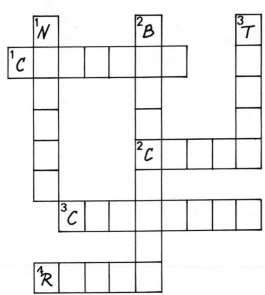

3 Vous êtes dans une station service. A vous de compléter votre dialogue avec le pompiste en vous aidant des dessins ci-dessous. (Réponses p. 130)

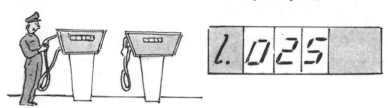

¿Sí, señora?

¿Miro el aceite?
_____

¿Limpio el parabrisas?

Sí, _____

¿Compruebo la presión de las ruedas?

Sí, _____

Bien, buen viaje.

_____

4 Écoutez la cassette. Vous allez entendre quatre dialogues très brefs. Cochez les cases correspondant à ce que chaque voyageur demande. (Réponses p. 130)

	300 ptas	400 ptas	600 ptas	800 ptas	1°	2°	ida	ida y vuelta	andenes 1	2	3	4	5
Manuel													
Elena													
Beatriz													
Pili													

Grammaire

« Mismo »

Comme son équivalent français, **mismo** a plusieurs utilisations :
1 **yo mismo** moi-même
  tú mismo toi-même
2 **allí mismo** là-même
  aquí mismo ici-même
  ahora mismo tout de suite
3 **la misma señora** la même dame
  el mismo coche la même voiture

Notez que **mismo,** employé devant un nom, s'accorde en genre et en nombre avec ce dernier.

Exercice

Complétez les phrases suivantes en insérant **mismo/misma** selon le cas.
(Réponses p. 130)
a **Trabajo en la** . . . . **oficina**
b **¡Ahora** . . . . **señor!**
c **Está allí** . . . .
d **Vivimos en la** . . . . **casa.**
e **Yo** . . . . **la veo desde aquí.**

Les adjectifs possessifs

mi	**mi mujer** ma femme		**mis**	**mis hijos** mes fils
tu	**tu padre** ton père		**tus**	**tus zapatos** tes chaussures
su	**su vestido** sa robe/votre robe		**sus**	**sus vestidos** ses/vos robes

nuestro	**nuestro libro**	notre livre
nuestra	**nuestra casa**	notre maison
vuestro	**vuestro tren**	votre train
vuestra	**vuestra tarjeta**	votre carte
nuestros	**nuestros padres**	nos parents
nuestras	**nuestras casas**	nos maisons
vuestros	**vuestros libros**	vos livres
vuestras	**vuestras gafas**	vos lunettes

Notez :
- que **mi, tu,** et **su** s'accordent seulement en nombre avec l'objet possédé.
- que **nuestro** et **vuestro** s'accordent eux à la fois en genre et en nombre.
- que **su** et **sus** s'emploient non seulement pour la troisième personne du singulier et du pluriel mais aussi pour le vouvoiement : **Tiene su libro.** Il a son livre. **Señor, ¿tiene su libro?** Monsieur, vous avez votre livre ?

Lire & comprendre

Lisez attentivement la notice ci-dessous puis cochez les bonnes réponses. (Réponses p. 130)

Vocabulaire

diario quotidien
la duración la durée
largo long

servicios combinados correspondances
las afueras l'extérieur, la banlieue

FERROCARRILES

OFICINA

Servicio diario con Madrid, directos: duración, dos horas y veinte minutos.

Servicio de larga distancia con Palencia, Santander, Zamora, Orense, Vigo, León y Valladolid. Servicios combinados con el resto de las capitales.

La estación está situada en las afueras de Segovia, en la carretera de Villacastín. Autobús a la estación, media hora antes de la salida de cada tren. Salida de la Plaza de Franco, 8.

---

1 Il y a des trains pour Madrid ☐ tous les jours
☐ deux fois par semaine
☐ le dimanche seulement

2 Le trajet pour Madrid dure ☐ 2 h 30
☐ 2 h 20
☐ 3 heures

3 Il y a un train de grande ligne qui dessert ☐ Valencia
☐ Palencia
☐ Santiago

4 La gare se trouve ☐ dans la banlieue de Ségovie
☐ au centre de Ségovie
☐ sur la route de Estebanuela

5 Il y a un autobus pour la gare ☐ un quart d'heure avant le départ du train
☐ une heure avant le départ du train
☐ une demi-heure avant le départ du train

Le saviez-vous ? ??????

Chemins de fer

Le réseau national espagnol **RENFE (Red Nacional de Ferrocarriles Españoles)** date du début du xxᵉ siècle. Un cinquième seulement du réseau est électrifié et l'écartement des voies (1,67 m) est différent de celui du reste de l'Europe, ce qui implique des transbordements aux frontières. Seuls le **Talgo (Tren Articulado Ligero de Goicochea y Oriot)** qui relie Genève **Ginebra** et Paris à Barcelone et le **Puerta del Sol** qui relie Paris à Madrid échappent à ces contraintes. Le **Talgo** et le **Ter** (train diesel qui dessert la Costa del Sol) sont des trains de première classe uniquement.

La majorité des trains sont des **Rápidos** (**Expresos** ou **Directos**). Ces appellations ne correspondent pas vraiment à des différences de rapidité. Les **correos** et **tranvias** qui correspondent à nos omnibus sont à éviter si vous ne voulez pas manquer la correspondance **el enlace**. Il existe des **horarios guías de ferrocarriles,** disponibles dans toutes les gares et les kiosques **los estancos.**

Taxis et métro

Comment reconnaître les taxis espagnols ? A la couleur de leur carrosserie (ils sont noirs rayés de rouge et plus récemment blancs rayés de rouge à Madrid) ou simplement à leur plaque **S.P. : servicio público.** En outre, la nuit, les chauffeurs de taxi signalent qu'ils sont libres en allumant un feu vert sur le toit de leur voiture. Les usages sont identiques au-delà des Pyrénées : n'oubliez donc pas **la propina** le pourboire qui s'élève à environ dix pour cent du prix de la course calculée au compteur **taximetro,** prix qui est majoré d'une taxe pour le transport de bagages encombrants. Vous pouvez abuser des taxis car leur prix reste très abordable ; par ailleurs cela vous donnera l'occasion de converser avec le chauffeur, en espagnol bien sûr...

Le métro est à recommander pour éviter les embouteillages **atascos** aux heures de pointe à Barcelone et à Madrid.

Quant aux bus et autocars **coches de línea,** ils assurent respectivement les liaisons urbaines et interurbaines. Certaines grandes villes, Madrid par exemple, ont un service de minibus **microbuses** plus chers mais moins bondés que les bus ordinaires.

SCOTT - ESCRIBANO / L'ESPAGNOL C'EST FACILE 6

A vous de parler

Vous vous arrêtez dans une station service pour prendre de l'essence. Suivez les indications du présentateur pour faire cet exercice. Et, pour terminer, écoutez une nouvelle fois l'ensemble des dialogues. Puis imaginez que vous devez prendre un train de Barcelone à Madrid ou un taxi pour vous rendre à l'aéroport. Essayez d'employer le maximum d'expressions apprises dans ce chapitre.

Réponses

Mettez en pratique ce que vous avez appris : Exercice **1** Taxi ¿queda libre? / Sí ¿para dónde? / A la estación, por favor. / Esta es la estación. / Gracias. ¿Cuánto le debo? / Ciento cincuenta pesetas. / Bien, aquí lo tiene. Exercice **2** Horizontalement (1) colegio (2) coche (3) catedral (4) rueda. Verticalement (1) normal (2) bicicleta (3) trece. Exercice **3** ¿Sí señora? / Veinticinco litros de súper por favor. / ¿Miro el aceite? / Sí, por favor. / ¿Limpio el parabrisas? / Sí, está muy sucio y no veo nada. / ¿Compruebo la presión de las ruedas? / Sí, las dos de delante. / Bien, buen viaje. / Gracias, adiós. Exercice **4** Manuel: primera clase, ida y vuelta, andén dos, ochocientas pesetas. Elena: segunda clase, ida, andén uno, trescientas pesetas. Beatriz: segunda clase, ida, andén tres, cuatrocientas pesetas. Pili: primera clase, ida y vuelta, andén cuatro, seiscientas pesetas.
Grammaire : (a) misma (b) mismo (c) mismo (d) misma (e) mismo.
Lire et comprendre : (1) tous les jours (2) deux heures vingt (3) Palencia (4) dans la banlieue de Ségovie (5) une demi-heure avant le départ du train.

¡ buen provecho !

Vous allez apprendre

- à vous renseigner sur les restaurants et leurs spécialités
- à poser et à comprendre des questions pour commander un repas
- à donner et à comprendre les réponses
- quelques-unes des habitudes alimentaires des Espagnols.

Avant de commencer

Nous vous conseillons de revoir le chapitre 4 dans lequel vous avez appris à commander des consommations.

Et avant de passer au chapitre 11 reportez-vous à la page 220 pour la deuxième série d'exercices de révision.

Dialogues

Dialogues

1 Pepe cherche un restaurant

Claude	**Oye, ¿hay un restaurante típico por aquí cerca?**
Carmen	**Sí, hay varios. Aquí en el pueblo y otros por la playa si prefieres.**
Claude	**¿Cuál me recomiendas?**
Carmen	**Pues el Mesón Gallego tiene buena comida y variada.**
Claude	**¿Qué tipos, qué tipos de comida sirven allí?**
Carmen	**Hay cocina regional y platos combinados.**
Claude	**¿Es caro o barato?**
Carmen	**No será caro ni barato, pero conozco otro que es más barato, si quieres ir.**
Claude	**¿Es un autoservicio o un restaurante normal?**
Carmen	**Es un restaurante normal de un tenedor pero cocinan muy bien.**

- **el pueblo** le village
- **la playa** la plage
- **sirven** ils servent
- **el tenedor** la fourchette
- **cocinan** ils cuisinent (**cocinar** cuisiner)

en el pueblo y otros por la playa dans le village et d'autres (restaurants) sur la plage.

▶ **¿cuál me recomiendas?** lequel me recommandes-tu? **¿cuál me recomienda, el azul o el rojo?** lequel me conseillez-vous, le bleu ou le rouge? **¿qué me recomienda?** que me recommandez-vous? **¿qué me recomienda, la sopa o el pescado?** que me conseillez-vous, la soupe ou le poisson?

¿cuál? quel, lequel, est un mot interrogatif tout comme **¿qué?** quoi?, qu'est-ce?

el Mesón Gallego. Mesón signifie auberge, restaurant. **Gallego** galicien.

Hay cocina regional y platos combinados on y trouve de la cuisine locale et des plats uniques. Les **platos combinados** sont de plus en plus au goût du jour, ne serait-ce que pour satisfaire la demande croissante de la clientèle étrangère. Notez que **cocina** signifie aussi la cuisine en tant que lieu.

¿es un autoservicio o un restaurante normal? est-ce un libre-service ou un restaurant normal?

2 Une ou quatre fourchettes ?

Claude	**¿Qué significa « de un tenedor »?**
Carmen	**Pues un tenedor es la categoría, cuantos más tenedores, más categoría, claro ... Los hay de uno, dos, tres y cuatro tenedores.**
Claude	**¿Y la comida es buena en los de un tenedor?**
Carmen	**Sí es buena en ese restaurante.**
Claude	**Vale. Entonces vamos a comer allí.**

cuantos más tenedores, más categoría plus il y a de fourchettes, plus grande (meilleure) est la catégorie. Revoyez la rubrique « Le Saviez-vous » du chapitre 4 pour les catégories de restaurant.
¿cuántos tenedores tiene el restaurante? combien de fourchettes a ce restaurant? Une phrase qui peut s'avérer utile si vous aimez bien manger...

3 Et pour commencer ?

(Vous trouverez le menu et sa traduction en français, p. 136.)

Camarero	**¿Van a comer a la carta?**
Antonio	**Sí, por favor.**
Luisa	**¿Nos da la minuta?**
Camarero	**Aquí tiene.**
Luisa	**A ver.**
Camarero	**Vamos a ver. ¿Qué van a tomar de primer plato?**
Luisa	**Consomé con huevo para mí.**
Camarero	**Consomé con huevo.**
Antonio	**Y para mí, entremeses.**
Camarero	**Entremeses.**
Pepe	**Y para mí también.**
Camarero	**Dos entremeses ¿y para Vd.?**
Pablo	**Sopa del día ... Oiga, ¿qué es la sopa del día?**
Camarero	**Sopa del día, me parece que es sopa de pescado.**
Pablo	**Muy bien.**

- **la sopa** le potage
- **el pescado** le poisson

¿van a comer a la carta? désirez-vous (littéralement allez-vous) manger à la carte ?
¿nos da la minuta? vous nous donnez le menu? (liste et prix des plats servis)
El menú al precio fijo le menu à prix fixe.
◆ **me parece que es ...** je pense que c'est... retenez également :
me parece que sí il me semble que oui et **me parece que no** il me semble que non. Autre expression : **me parece bien** cela me paraît bien.

133

4 Le plat principal...

Camarero	**¿Y de segundo plato?**
Pepe	**Para mí . . . mm . . . sí para mí, ternera a la riojana.**
Luisa	**Yo prefiero merluza a la romana.**
Pablo	**¿Y hay bacalao a la vizcaína?**
Camarero	**Es el plato del día.**
Pablo	**Bien.**
Antonio	**Y para mí, señor, cochinillo asado.**
Camarero	**Muy bien.**

- **la ternera** le veau
- **la merluza** le colin
- **el bacalao** la morue
- **el cochinillo** le cochon de lait
- **asado** grillé

5 ... Et le dessert

Camarero	**Y de postre, ¿qué desean?**
Pepe	**No sé.**
Luisa	**¿Qué queréis tomar?**
Pablo	**Un flan.**
Antonio	**Un flan, sí, sí.**
Camarero	**Tenemos también tarta helada, melocotón en almíbar.**
Luisa	**Sí, sí. Para mí tarta helada.**
Pepe	**¿Y para mí tambien, tarta helada por favor . . . y usted, don Antonio ¿qué quiere?**
Antonio	**¿Hay helado?**
Camarero	**Sí.**
Antonio	**Bueno, ¿qué hay? ¿fresa?**
Camarero	**Pues hay fresa, vainilla y chocolate.**
Antonio	**Vale, vale de fresa.**
Pepe	**Y tú, ¿tú has pedido?**
Luisa	**Sí. Yo tarta helada.**
Camarero	**O sea, son dos tartas heladas, un helado.**
Pepe	**De fresa.**
Antonio	**De fresa y un flan.**
Pepe	**Eso.**

- **el flan** le flan
- **la tarta** la tarte
- **el melocotón** la pêche

- **el almíbar** le sirop
- **la fresa** la fraise
- **o sea** à savoir, c'est-à-dire

◆ **¿qué queréis tomar?** que voulez-vous (prendre)? Luisa emploie la 2ᵉ personne du pluriel parce qu'elle tutoie plusieurs de ses amis.
y tú ¿tú has pedido? et toi, as-tu commandé? **Pedir,** verbe irrégulier, se traduit le plus souvent par demander.

6 Les boissons

Camarero	**¿Algo más? ¿De beber? ¿qué desean para beber?**
Luisa	**¿Para beber, qué tiene de beber? ¿Vinos . . .?**
Camarero	**Tenemos vino tinto, vino blanco, de la casa y también de marca.**
Luisa	**Pues yo creo que sería mejor una botella de vino tinto para todos.**
Camarero	**¿De la casa?**
Luisa	**Sí, sí, de la casa.**
Camarero	**¿Una botella?**
Pepe	**¿La botella es de litro?**
Camarero	**Pues de litro y también de medio litro.**
Pepe	**¿Una botella de litro para todos? ¿Vale?**
Todos	**Sí. Vale.**
Antonio	**¿Y hay agua mineral?**
Camarero	**También. ¿Con gas o sin gas?**
Antonio	**Con gas.**
Pepe	**Sí, traiga Vd. una botella de agua mineral con gas y una botella de vino y si se acaba, pedimos más ¿de acuerdo?**
Todos	**Sí, sí . . . Estupendo.**

◆ **¿qué desean para beber?** que désirez-vous boire?
Autres expressions à retenir :
tengo hambre j'ai faim, **tengo sed** j'ai soif.
vino tinto, vino blanco, de la casa y también de marca vin rouge, vin blanc, vin de la maison et aussi vin en bouteille, vin d'appellation. **Tinto** rouge s'emploie uniquement pour le vin. Souvenez-vous : la couleur rouge se dit **rojo.**
pues yo creo que sería mejor una botella de vino tinto eh bien, je crois qu'une bouteille de vin rouge serait préférable.
◆ **¿y hay agua mineral?** et y a-t-il de l'eau minérale?
¿con gas (ou **gaseosa**) **o sin gas?** gazeuse ou non gazeuse?
y si se acaba, pedimos más ¿de acuerdo? et si on la termine, nous en demanderons (littéralement nous en demandons) davantage, d'accord?
Un détail qui a son importance : les Espagnols ont deux mots pour traduire verre : **el vaso** le verre pour l'eau, l'apéritif et **la copa** pour le verre à pied.

Mots clés & expressions idiomatiques

tengo hambre	j'ai faim
tengo sed	j'ai soif
¿me da el menú?	puis-je avoir le menu?
¿nos da el menú?	pouvez-vous nous donner le menu?
¿qué tiene de beber?	qu'avez-vous comme boisson?
¿qué tiene de comer?	qu'avez-vous à manger?
de primer plato	comme entrée
de segundo plato	comme deuxième plat
de postre	comme dessert
¿qué me recomienda?	que me conseillez-vous?
¿cuál me recomienda?	lequel me conseillez-vous?
me parece que sí	il me semble que oui (si)
me parece que no	il me semble que non
me parece bien	cela me semble bien
me parece que es ...	je pense que c'est...

MESÓN GALLEGO
Menú del día

Primer grupo

Sopa del día
(Sopa de pescado)
Consomé con huevo
entremeses

Entrées

potage du jour
(Soupe de poisson)
consomé avec un œuf
hors-d'œuvre

Segundo grupo

ternera a la riojana
merluza a la romana
bacalao a la vizcaína
cochinillo asado

Plats du jour

veau à la riojana
colin meunière
morue à la vizcayana
cochon de lait grillé

Postres

flan
tarta helada
helados (fresa, vanilla,
         chocolate, caramelo.)
melocotón
vino tinto/blanco de la casa

Desserts

crème caramel
tarte glacée
glace (fraise, vanille,
       chocolat, caramel.)
pêches
vins rouge et blanc
(réserve maison)

Mettez en pratique ce que vous avez appris

1 Miguel se renseigne sur différents restaurants de la ville. Écoutez la cassette, puis inscrivez sous le nom de chaque restaurant le nombre de fourchettes qui lui est attribué. (Réponses p. 144)

2 Un couple commande certains des plats qui sont illustrés ci-dessous. Reliez par une flèche les plats à la personne qui les choisit. (Réponses p. 144)

3 Imaginez que vous êtes serveur dans un restaurant et que vous prenez les commandes. Inscrivez les plats choisis par les deux clientes dans le tableau ci-dessous. (Réponses p. 144)

CLIENTE 1	CLIENTE 2

4 Dans cet exercice, vous jouez le rôle du client. Choisissez parmi les phrases qui figurent dans l'encadré ci-dessous les réponses que vous allez faire au serveur. (Réponses p. 144)

Camerero	**Buenas tardes señora, ¿qué desea?**
Cliente	_____
Camarero	**Sí, claro.**
Cliente	_____
Camarero	**Me parece que es sopa de pescado.**
Cliente	_____
Camarero	**¿Y de segundo plato?**
Cliente	_____
Camarero	**Sí, sí, muy bueno.**
Cliente	_____
Camarero	**¿Y de postre?**
Cliente	_____
Camarero	**Me parece que no — hay flan, helados.**
Cliente	_____

pues el bacalao a la vizcaína

¿de qué es la sopa?

¿hay tarta helada?

un helado, por favor

¿el bacalao es bueno?

¿me da el menú por favor?

bien, la sopa por favor

Grammaire

Les nombres ordinaux

primero	premier	**quinto**	cinquième	**noveno**	neuvième
segundo	deuxième	**sexto**	sixième	**décimo**	dixième
tercero	troisième	**séptimo**	septième		
cuarto	quatrième	**octavo**	huitième		

1 Tous les nombres ordinaux s'accordent en genre et en nombre.
la segunda botella la deuxième bouteille
el séptimo alumno le septième élève

2 Primero et **tercero** perdent leur o final lorsqu'ils sont suivis immédiatement d'un nom masculin singulier :
el tercer piso le troisième étage
el primer plato le premier plat

mais :
la primera planta le premier étage
la tercera casa la troisième maison

Les pronoms personnels complément d'objet indirect

	Complément d'objet indirect		Précédés d'une préposition : a, para, por...	
singulier	**me**	me	**mí**	moi
	te	te	**ti**	toi
	le	lui	**él**	lui
			ella	elle
			ello	cela, y
pluriel	**nos**	nous	**nosotros**	nous
	os	vous	**vosotros**	vous
	les	leur	**ellos**	eux
			ellas	elles

¿Cuál me recomienda? Lequel me recommandez-vous ?
Consomé con huevo para mí. Consommé avec un œuf pour moi.
Le mando la carta hoy. Je lui envoie la lettre aujourd'hui.
¿Te marchas sin ella? Tu pars sans elle ?
A nosotros nos dicen siempre lo mismo. A nous, on nous dit toujours la même chose.
¿Vas de compras con ellas? Tu vas faire les courses avec elles ?
Notez que le pronom personnel neutre **ello** se traduit très souvent par le pronom démonstratif cela. Il s'emploie pour reprendre une idée déjà exprimée dans la phrase ou la proposition.
No hay que pensar en ello. Il ne faut pas penser à cela.

⚠ Les pronoms personnels **mí** et **ti,** précédés de la préposition **con,** deviennent :
- à la première personne : **conmigo** avec moi
- à la deuxième personne : **contigo** avec toi

Exercice

Répondez aux questions suivantes en traduisant les phrases entre parenthèses (Réponses p. 144)

a **¿Para quién es esto?** (c'est pour moi)
b **¿Es para mí?** (non, c'est pour eux)
c **¿Y tú vienes conmigo?** (oui, je viens avec toi)
d **Y, la tarta helada, ¿es para Ud.?** (oui, elle est pour moi)
e **Y el pan ¿dónde está?** (il est à côté de moi)
f **¡Uy! ¿y comes sin mí?** (non, je mange avec toi)

Lire & comprendre

Vocabulaire

suelto	séparé, à part
el desayuno	le petit déjeuner
el almuerzo	le déjeuner
la comida	le dîner
los impuestos	les taxes, les impôts
aumentar (se)	augmenter
el cartel	la notice

MINISTERIO DE COMERCIO Y TURISMO
SECRETARIA DE ESTADO DE TURISMO

Nombre de establecimiento

Hotel Brisa del Mar

Categoría *3 estrellas*

Localidad *Santa Inés*

Provincia *Baleares*

Habitación número *215*

con capacidad para dos personas

Precio de esta habitación:

máximo *2.000*

mínimo *1,600*

Servicios sueltos (por persona)

desayuno *150*

almuerzo *600*

comida *600*

El precio de la pensión completa es la suma de los correspondientes a la habitación y al de los servicios sueltos

> Los precios indicados comprenden toda clase de impuestos

El precio de esta habitación puede aumentarse hasta un 15% en las fechas que figuran en el cartel en Recepción.

Répondez en espagnol aux questions suivantes et n'oubliez pas d'écrire les chiffres en toutes lettres! (Réponses p. 144)

1 ¿Cómo se llama el hotel? _____

2 ¿Cuántas estrellas tiene el hotel? _____

3 ¿Dónde está el hotel? _____

4 ¿Cuánto cuesta el almuerzo? _____

5 ¿Los precios comprenden impuestos? _____

Le saviez-vous ? ??????

Vins et fromages

L'Espagne a la chance de posséder trois atouts essentiels pour un vignoble de qualité : un ensoleillement généreux, un sol approprié et des cépages vieillis naturellement. Le travail de l'homme venant faire fructifier le tout, l'Espagne possède une gamme étendue de crus qui sont autant de symboles de ce pays résumé dans le dicton : **España, país de contrastes,** Espagne pays de contrastes. Parmi les grands crus **caldos** protégés par l'Appellation d'Origine Contrôlée **Denominación de Origen,** nous citerons les plus connus : les vins andalous parmi lesquels on compte la **manzanilla** (vin blanc sec) de la région de Cadiz, le **Moriles** et le **Montilla de Córdoba** et, bien évidemment, le **Jerez.**
Les grands vins **vinos de marca** les plus réputés sont : le **Valdepeñas** (région de Ciudad Real) et le **Rioja** (régions de Alava et de Logroño).
Nous ne saurions passer sous silence la **sangría,** boisson servie glacée qui est à base de vin rouge souvent additionné d'alcool (rhum **ron**) et dans lesquels ont macéré des fruits variés : pêches, poires, melons, citrons, oranges, bananes, etc. (respectivement **melocotones, peras, melones, limones, naranjas, plátanos**).
Si vous optez pour la sobriété, vous aurez toujours la possibilité de demander de l'eau de Seltz **sifón** ou un **granizado,** boisson givrée parfumée comme, par exemple, la **horchata de almendras** (boisson à base d'amandes pilées, d'eau et de sucre).
Les fromages espagnols ne sont pas aussi variés qu'en France mais ils font cependant partie de la tradition. On peut les classer en trois grandes catégories : les fromages de chèvre **cabra,** de brebis **oveja** et à base de lait de vache **vaca.** Les fromages de chèvre comptent sept variétés dont la plus connue est **el cabral.** Les fromages de vache sont nombreux (environ 12 variétés), et l'un des plus fréquemment rencontrés sur les menus est el **queso de pasta blanca,** fromage à pâte moelleuse. Mais de loin les plus appréciés sont les fromages de brebis et notamment **el manchego (de la Mancha)** et **el queso de roncal,** fromage fumé et salé.

Quelques plats régionaux

Et voici un tour rapide de l'Espagne culinaire... Logique et origine obligent, nous commencerons par Le Levant et Valence, célèbre pour la **paella** aux multiples variantes et dont nous ne citerons que la **paella marinera** préparée, comme son nom l'indique, avec des fruits de mer **mariscos.** L'Andalousie nous permet d'apprécier la fraîcheur du **gazpacho,** potage glacé préparé avec des légumes pilés. Il est naturel que la Castille soit le pays du **cocido** ou **olla,** plat de résistance pour lutter contre les rigueurs du climat et qui ressemble au pot-au-feu français ; mais il est à base de mouton **carnero** et de lard **tocino** et bien sûr... de pois chiches **garbanzos.** Citons encore les tripes à la madrilène **callos** et le jambon de pays **jamón serrano.** Le Nord-Ouest, pays de pêche, compte parmi ses spécialités : la morue à la biscayenne **bacalao a la vizcaína** et les anguilles **anguilas.**
Pour le reste, à vous de découvrir et de choisir : **¡Que aproveche!** Bon appétit ! (littéralement : que vous profitiez !).

1 Valdepeñas : au moment des vendanges.

2 Un plat typique : la paëlla.

3 Vue sur la ville de Cordoue.

4 Préparatifs pour la pêche de nuit.

A vous de parler

Vous commandez du vin au Mesón Gallego. Le présentateur va guider votre choix. Et pour terminer : assurez-vous que vous connaissez les mots et expressions importants avant de passer à la partie révision des chapitres 6 à 10.

Révision

Reportez-vous à la page 220 et faites les exercices de révision des chapitres 6 à 10. Ces exercices de révision se trouvent tout de suite après le chapitre 10 sur votre cassette.

Réponses

Mettez en pratique ce que vous avez appris : Exercice **1** El Colón = cuatro tenedores, Mesón Fernando e Isabel = tres tenedores, Mesón Gallego = tres tenedores, La Cueva de Tía Juanita = dos tenedores, El Polo = un tenedor. Exercice **2** Le client a commandé : una sopa de pescado, ternera a la riojana, una botella de vino blanco. La cliente a commandé : entremeses, bacalao a la vizcaina, helado de naranja, agua mineral sin gas. Exercice **3** Cliente 1 : un consomé, una merluza, un helado de chocolate. Cliente 2 : una sopa del día, un cochinillo asado, una tarta helada y una botella de vino tinto. Exercice **4** ¿Me da el menú por favor? / ¿De qué es la sopa? / Bien, la sopa por favor. / ¿El bacalao es bueno? / Pues el bacalao a la vizcaína. / ¿Hay tarta helada? / Un helado por favor.
Grammaire : a Es para mí. **b** No, es para ellos. **c** Sí, voy contigo. **d** Sí, es para mí. **e** Está cerca de mí. **f** No, como contigo.
Lire et comprendre : (1) Hotel Brisa del Mar (2) tres (3) Santa Inés, Baleares (4) seiscientas pesetas (5) Sí.

¿ te gusta ...?

Vous allez apprendre

- à dire ce que vous aimez et n'aimez pas
- à faire des commentaires sur un pays ou une région
- à demander aux gens quelles sont leurs distractions favorites et comment ils occupent leurs loisirs
- la façon dont les Espagnols s'informent.

Avant de commencer

Dès que vous établirez des relations amicales avec des Espagnols, vous serez amené à dire quels sont vos goûts, vos préférences, etc. La rubrique « mots-clés et expressions idiomatiques » vous familiarisera avec les formules les plus courantes.

Tout le langage abordé dans ce chapitre vous prépare à exprimer une gamme très étendue de réactions. Les expressions-clés de ce chapitre sont particulièrement importantes.

Dialogues

Dialogues

1 Aimes-tu les tâches ménagères ?

Pepe   ¿A tí te gusta el trabajo de la casa?
Conchita   Ay, ¡qué pregunta!, depende . . . cocinar sí, limpiar . . . no
siempre, claro; lo que me gusta muchísimo es coser . . .
Pepe   Y por ejemplo, ¿planchar?, ¿lavar la ropa?
Conchita   No, no, lo odio. ¡No me hables! Ya te digo que lo que más
me gusta es cocinar. No, y en realidad no me gustan los
trabajos de la casa . . . aunque hay cosas que . . .

- **limpiar** nettoyer
- **coser** coudre
- **planchar** repasser
- **lavar** laver
- **en realidad** en fait, en réalité

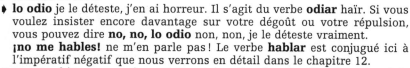

**lo que me gusta muchísimo
es coser** ce que je préfère
(ce que j'aime le plus) c'est coudre.
Voir la « Grammaire » p. 153.
Ne confondez pas le verbe **coser**
avec **cocer** qui signifie cuire.
lavar la ropa laver le linge
lavarse se laver
- **lo odio** je le déteste, j'en ai horreur. Il s'agit du verbe **odiar** haïr. Si vous
voulez insister encore davantage sur votre dégoût ou votre répulsion,
vous pouvez dire **no, no, lo odio** non, non, je le déteste vraiment.
¡no me hables! ne m'en parle pas ! Le verbe **hablar** est conjugué ici à
l'impératif négatif que nous verrons en détail dans le chapitre 12.
- **aunque** bien que, quoique. Cette conjonction de subordination est suivie
du présent de l'indicatif : **aunque hay cosas** bien qu'il y ait des choses,
alors qu'en français le verbe est au subjonctif. Autres conjonctions de
subordination suivies de l'indicatif : **cuando** lorsque (sans accent
puisqu'il n'introduit pas une question), **mientras que** pendant que,
tandis que, **si** si et **porque** parce que, que vous avez déjà vues.

2 Conchita aime le vin

Pepe   ¿Qué bebes generalmente?, ¿te gusta el vino?
Conchita   ¡Uy, sí, me encanta, pero tiene que ser seco, si no me
sienta mal . . . Lo que tomo poco es cerveza. A veces, en
verano, con carne, huevos o lechuga, en una comida
rápida. Si no, no la pruebo.

- **seco** sec, brut
- **la carne** la viande
- **la lechuga** la salade verte, la laitue

¿te gusta el vino? tu aimes le vin? Remarquez que **gustar** peut être immédiatement suivi d'un nom. **¿Le gusta el agua mineral?** Vous aimez l'eau minérale?

me encanta j'adore (littéralement : il m'enchante). Cette expression est très courante pour traduire une prédilection, un enthousiasme marqué pour quelque chose ou quelqu'un.

▸ **tiene que ser seco, si no me sienta mal** il faut qu'il soit sec, sinon il ne me réussit pas. Dans cette phrase, **si no** a le sens de sinon. Quand il est en un seul mot **sino** il signifie mais et introduit un mot ou un groupe de mots placés après un membre de phrase à la forme négative : **no puedo ir por la mañana, sino por la tarde** je ne peux pas y aller le matin, mais l'après-midi (oui).

3 Sandra se plaît-elle en Espagne?

Pablo   **¿Te gusta vivir en España?**
Sandra   **Sí, me gusta muchísimo.**
Pablo   **Y, ¿te gusta trabajar en Madrid?**
Sandra   **Sí, me encanta cada día más.**
Pablo   **¿Qué tal el clima**
       de Madrid en invierno?
Sandra   **Hace bastante frío,**
       pero no es desagradable.

● **frío** froid

▸ **¿qué tal el clima de Madrid en invierno?** comment est le climat à Madrid en hiver? **¿Qué tal?** peut s'employer seul et, dans ce cas, signifie comment ça va? Question à laquelle vous pouvez répondre **muy bien, gracias.**
Autres possibilités d'emploi de cette formule particulièrement utile dans la conversation courante : **¿qué tal el vino?** comment (trouvez-vous) le vin?, **¿qué tal las vacaciones?** comment (se sont passées) les vacances? Vous noterez que l'espagnol gagne en concision là où le français est obligé d'expliciter sa pensée par un verbe.

▸ **hace bastante frío, pero no es desagradable** il fait assez froid mais ce n'est pas désagréable. L'expression **hace . . .** s'emploie pour décrire la température. Nous y reviendrons dans le chapitre suivant. Si vous voulez exprimer la sensation de froid que vous ressentez, vous direz **tengo frío** j'ai froid. Le contraire se dit **tengo calor** j'ai chaud.

4 Sandra n'aime pas les plages de la Méditerranée

Pablo   ¿Conoces Valencia?

Sandra   Ay, sí, me encanta, ¡qué ciudad tan preciosa!

Pablo   Allí voy ahora y después sigo hacia la Costa del Sol.

Sandra   Esa parte no la conozco, la verdad es que no me atrae, no sé por qué, pero no me interesa nada, nada. Hay demasiada gente, en general el Mediterráneo no me gusta, no me hace mucha gracia. Prefiero el Norte o las costas gallegas y el Atlántico . . .

Pablo   Hombre, pero las playas del Mediterráneo son . . .

Sandra   Ya sé, ya sé, estupendas, pero hay demasiada gente para mí.

- **precioso(a)** joli(e)
- **la costa** la côte
- **atraer** attirer
- **el Mediterráneo** la Méditerranée
- **el Atlántico** l'Atlantique
- **la playa** la plage

la Costa del Sol (littéralement : la côte du soleil). Située à l'extrémité sud de la péninsule Ibérique, elle s'étend depuis **Almería** jusqu'à **Tarifa,** adossée à la **Punta Marroquí.** Elle est particulièrement appréciée des touristes à cause de la variété de ses plages et du charme de ses stations balnéaires comme **Torremolinos, Málaga,** etc.

⬥ **hay demasiada gente** il y a trop de monde, trop de gens. Retenez que **gente** est féminin singulier en espagnol : **la gente es numerosa,** littéralement : les gens sont nombreux. **Demasiado** trop est variable : il s'accorde en genre et en nombre devant un nom.

no me hace mucha gracia cela ne m'emballe pas.

5 Que pense Teresa de la France ?

Pepe   ¿Qué más te gusta de Francia?

Teresa   Pues realmente lo que más me gusta es el paisaje, tan variado con montes, valles muy verdes y bonitos con el mar también.

Pepe   Y . . . ¿lo que menos te gusta?

Teresa   La lengua. La encuentro muy difícil.

Pepe   ¿Es difícil el francés?

Teresa   Sí, el idioma es dificilísimo.

- **el paisaje** le paysage
- **el monte** la montagne
- **el valle** la vallée
- **bonito** joli, agréable

- **el mar** la mer
- **la lengua, el idioma** la langue
- **encontrar** trouver
- **difícil** difficile

¿qué más te gusta de Francia? qu'est-ce que tu préfères en France?
♦ **tan variado** si varié. **Tan** devant un adjectif signifie si, aussi, tellement.
Lorsqu'il est employé en corrélation avec **como** comme dans **tan . . . como,** il traduit aussi ... que, c'est-à-dire le comparatif d'égalité : **Luisa es tan grande como Pepe** Luisa est aussi grande que Pepe.

6 Juan et les tâches ménagères

María	Vamos a ver que piensa el hombre español del trabajo doméstico. ¿Te gusta cocinar?
Juan	No, no, es un trabajo para mujeres.
María	¿Pero entonces te gusta lavar o planchar?
Juan	No, eso menos. Todavía cocinar, si es para freír un par de huevos, pues sí, pero no lavar y planchar — de eso, nada. La cocina, planchar y lavar, eso son cosas de la casa. Eso es para la mujer. Ella se encarga de todo, ella plancha y yo, cuando necesito una camisa, que la tenga bien preparada.
María	Si algún día tu mujer sale a trabajar fuera de casa tendrás que plancharte las camisas, ¿no?
Juan	Bueno, pues ya las planchará la vecina, de todas formas yo no voy a planchar las camisas.
María	Pero ¿por qué realmente no te gusta planchar camisas?
Juan	Pero es que tampoco sabemos planchar, yo creo que los españoles no podemos planchar camisas.
María	¡Qué español más típico!
Juan	Anda, déjalo, ¡no seas pesada, guapa!

- **piensa** il/elle pense (**pensar** penser)
- **la mujer** la femme, l'épouse
- **todavía** encore
- **freír** frire
- **un par** un couple, deux
- **la cosa** la chose
- **la camisa** la chemise
- **la vecina** la voisine

no, eso menos non, cela encore moins. A la différence des autres pronoms démonstratifs (voir la « Grammaire » du chapitre 6), le pronom neutre **eso** ne porte pas l'accent écrit :
¿Qué es eso? Qu'est-ce ? **Eso es un libro.** Cela est un livre.
pero no lavar y planchar — de eso, nada mais pas laver ni repasser, je ne veux pas en entendre parler (littéralement : de cela, pas question).
ella se encarga de todo elle se charge de tout.
♦ **y cuando necesito una camisa, que la tenga bien preparada** et lorsque j'ai besoin d'une chemise, qu'elle soit prête.
Necesitar suivi d'un complément d'objet direct signifie avoir besoin de (quelque chose).
tendrás que plancharte las camisas tu devras repasser tes chemises.
pues ya las planchará la vecina et bien la voisine les repassera.
♦ **pero es que tampoco sabemos planchar** mais c'est que nous ne savons pas repasser, non plus. Non plus se traduit par un seul mot : **tampoco**.
anda, déjalo, no sea pesada ¡ va, laisse tomber, ne sois pas assommante.

Mots clés & *expressions idiomatiques*

me encanta el clima	j'adore le climat (littéralement : le climat m'enchante)
me gusta muchísimo	j'aime énormément
me gusta muchísimo el vino	j'apprécie énormément le vin
no me gusta	je n'aime pas
no me gusta nada, nada	je n'aime pas du tout
no me gusta el Mediterráneo	je n'aime pas la Méditerranée
no me gusta ni mucho, ni poco	cela me laisse indifférent
lo odio	je le déteste
lo que me gusta más es . . .	ce que je préfère, c'est...
prefiero (el café)	je préfère (le café)
no me hace mucha gracia	cela ne m'enchante pas, ne m'emballe pas
¿qué tal el clima?	comment est le climat ?
¿qué tal (Ud)?	comment (allez-vous) ?

Mettez en pratique ce que vous avez appris

1 Vous allez entendre Elena dire à Juan ce qu'elle aime ou n'aime pas faire dans la maison. Les dessins ci-dessous illustrent un certain nombre de tâches ménagères. Inscrivez sous chacun d'entre eux l'expression employée par Elena pour donner son opinion. (Réponses p. 156)

Nouvelles expressions :

hacer la cama faire le lit
hacer las maletas faire les valises

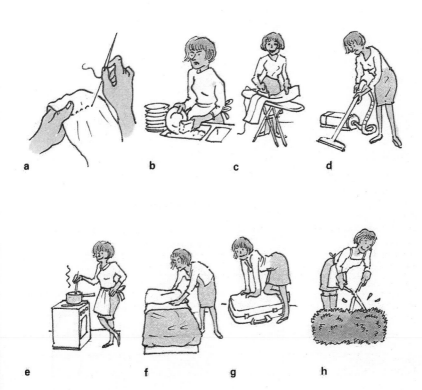

a   b   c   d

e   f   g   h

2 Juan interroge Maria et Pablo sur leurs plats préférés. Tout en écoutant la cassette, inscrivez sous chaque dessin qui aime quoi. (Réponses p. 156)
Retenez :
el jamón serrano le jambon de pays fumé

a   b   c   d

e   f   g

3 Écoutez Marcos demander à Alejandro ce qu'il pense de certaines régions d'Espagne. Cochez dans la case appropriée (aime beaucoup, est indifférent, n'aime pas du tout) l'opinion d'Alejandro sur chaque région évoquée. (Réponses p. 156)

	le gusta muchísimo	no le gusta ni mucho ni poco	la detesta
Andalucía			
la Costa del Sol			
la costa gallega			
Madrid			

4 Antonio fait la liste des choses qu'il aime et qu'il n'aime pas. Écoutez-le parler et cocher la case **sí** (s'il aime) ou **no** (s'il n'aime pas). (Réponses p. 156)

ANTONIO AIME-T-IL...?

	SÍ	NO		SÍ	NO
el vino blanco			el trabajo		
el vino tinto			el norte de España		
el café solo			el sur de España		
el café con leche			el helado de fresa		
Madrid			el helado de chocolate		
Valencia			la carne		
las vacaciones			el pescado		

Grammaire

Les verbes « pensar » et « creer »

Dans ce chapitre vous avez appris deux nouveaux verbes : **pensar** (verbe irrégulier) penser et **creer** croire.

Présent de l'indicatif
PENSAR

pienso	**pensamos**
piensas	**pensáis**
piensa	**piensan**

Retenez que **pensar en** signifie penser à : **pienso en mis vacaciones :** je pense à mes vacances.

CREER

creo	**creemos**
crees	**creéis**
cree	**creen**

Yo creo que los españoles no podemos planchar camisas littéralement je pense (je crois) que nous, les Espagnols, nous ne pouvons pas repasser des chemises.

On rencontre aussi **creer** dans des expressions synonymes de **me parece que**

me parece que sí/creo que sí je crois que oui
me parece que no/creo que no je crois que non

Exercice 1

Complétez les phrases suivantes avec **creer/pensar, creer que/pensar que/pensar en** selon le cas. (Réponses p. 156)

a **¿Juan está aquí?** .... **sí.**
b **¡** .... **una buena comida : paella, vino blanco y flan!**
c **¿Hay tarta helada?** .... **no.**
d **¿Viene Dámaso al cine con vosotros?** .... **sí.**
e **No te** ....**, eso no puede ser.**

Le verbe « gustar »

me gusta	cela me plaît	**no me gusta**	
te gusta		**no te gusta**	
le gusta		**no le gusta**	
nos gusta		**no nos gusta**	
os gusta		**no os gusta**	
les gusta		**no les gusta**	

Vous noterez que **gustar** s'accorde avec le sujet réel de la phrase : **no me gustan los huevos** je n'aime pas les œufs, les œufs ne me plaisent pas.
Gustar s'utilise dans le sens de plaire, pour exprimer un goût, mais pour parler d'amour, on emploiera le verbe **querer** que nous avons déjà vu au chapitre 4 et qui signifie aussi vouloir.

Exercice 2

Associez entre eux les éléments des colonnes A et B pour former cinq phrases complètes. (Réponses p. 156)

A	B
me gustan	nada, nada, nada
¿le gusta	muchísimo
¿qué te gusta más?	los huevos
no me gusta	¿el fútbol o el tenis?
me gusta	España?

Lire & comprendre

La Costa del Sol es un paraíso mediterráneo con aguas azules y playas de gran extensión y unas montañas suaves. El clima mediterráneo es templado y sin grandes variaciones y visitantes de todos los paises encuentran el descanso que da el ambiente relajante. La Costa del Sol se extiende desde Almería a Tarifa y es una región de gran variedad.

Cocina y vinos – Esta costa tiene muchos productos de excelente calidad. Hay una enorme variedad de platos de pescado – atún, sardinas, mariscos... El plato más famoso es el gazpacho. Universalmente famoso es el vino de Málaga, de magnífico aroma.

Vocabulaire

suave doux
templado tempéré
el descanso le repos
el ambiente l'atmosphère

relajante relaxant

se extiende il/elle s'étend
(extenderse s'étendre)
la calidad la qualité
el atún le thon
los mariscos les coquillages
el gazpacho le potage froid (tomates, ail, poivrons, etc.)

Vous avez là une parfaite illustration du langage des brochures touristiques. Maintenant faites l'exercice, en cochant l'affirmation qui vous semble exacte. (Réponses p. 156)

154

1 Sur la Costa del Sol, le climat est :	**a**	très chaud	☐
	b	tempéré	☐
	c	chaud en été, froid en hiver	☐
2 Les touristes viennent pour :	**a**	s'y reposer	☐
	b	se distraire	☐
	c	y faire du sport	☐
3 La Costa del Sol s'étend de :	**a**	Almeria à Tarifa	☐
	b	Granada à Almeria	☐
	c	Malaga à Cadiz	☐
4 La Costa del Sol est particulièrement connue pour :	**a**	la viande	☐
	b	le poisson et les coquillages	☐
	c	les fruits	☐
5 Le vin le plus réputé est celui de :	**a**	Malaga	☐
	b	Granada	☐
	c	Nerja	☐

Le saviez-vous ? ??????

La presse

Les Espagnols ont à leur disposition au total plus de 100 quotidiens et environ 200 hebdomadaires.

Parmi les principaux quotidiens **los diarios,** on compte :

EL PAÍS, d'orientation centre-gauche et très connu pour la liberté de ses commentaires. Ce quotidien, fondé en 1976, fait partie d'une nouvelle génération de journaux libérés de toutes contraintes.

ABC, de tendance monarchique et conservatrice, compte parmi les anciens. En effet, il a vu le jour en 1904.

YA représente l'expression du mouvement catholique en Espagne.

EL ALCÁZAR est un quotidien de droite.

DIARIO 16 relève de la presse à sensation et fait de très gros tirages.

Le quotidien régional le plus connu est sans doute **LA VANGUARDIA** diffusé dans toute la Catalogne mais dont le rayonnement dépasse le cadre strictement régional. Parmi les hebdomadaires et périodiques, citons entre autres : **INTERVIÚ** très révélateur de l'évolution des mentalités, **TRIUNFO** qui est l'hebdomadaire madrilène, progressiste et très souvent critique à l'égard du gouvernement, **CAMBIO 16** très apprécié pour la technicité de sa réalisation, **CUADERNO PARA EL DIÁLOGO,** souvent comparé au *Nouvel Observateur,* d'inspiration socialiste et très largement diffusé, **HOLA,** dans un tout autre registre, qui correspond à un mélange de *Match* et *Jours de France.*

Bien qu'il soit assez difficile d'établir des comparaisons entre la presse espagnole et la presse française, on peut remarquer que la présentation des informations et sa mise en pages s'aligne de plus en plus sur celle de nos grands quotidiens et hebdomadaires.

La radio

La radio d'état, **Radio Nacional (de España)** compte quatre chaînes sans publicité et **Radio Peninsular,** seule chaîne avec couverture publicitaire. Les auditeurs espagnols peuvent également choisir parmi un grand nombre de radios privées, dont la plus écoutée est la **SER** (Société Espagnole de Radiodiffusion), et de multiples radios libres dont certaines émettent dans la langue vernaculaire telle que **LA VOZ DE CATALUÑA.**

La télévision

La **TVE** ou **Televisión Española,** sur laquelle l'État exerce un contrôle très strict, est une télévision commerciale ; elle compte deux chaînes **las cadenas** qui offrent au téléspectateur le choix traditionnel de programmes. Signalons ici que les Catalans disposent de leur propre chaîne de télévision **TV 3** ainsi que les Basques avec **Euskal Telebista.**

A vous de parler

Dans cet exercice, il s'agit de dire quelles sont les régions d'Espagne que vous préférez et pourquoi. Vous allez employer des expressions que vous avez apprises dans ce chapitre et des termes géographiques qui vous sont maintenant familiers : **norte, sur, este, oeste,** etc.
Pour terminer, écoutez à nouveau l'ensemble des dialogues et révisez les mots-clés et les expressions idiomatiques. Pourquoi n'essaieriez-vous pas ensuite de dire à haute voix ce que vous aimez ou n'aimez pas ?

Réponses

Mettez en pratique ce que vous avez appris : Exercice **1** (a) no me hace mucha gracia (b) ni más ni menos (c) me gusta (d) no me gusta nada, nada, nada (e) me encanta (f) es un trabajo aburrido (g) me gusta muchísimo (h) lo detesto. Exercice **2** (a) Maria, Pablo (b) Maria (c) aucun des deux (d) Maria (e) Maria (f) Pablo (g) Maria, Pablo. Exercice **3** Andalucía: no le gusta ni mucho ni poco; La Costa del Sol: la detesta; La Costa gallega: le gusta muchísimo; Madrid: le gusta muchísimo. Exercice **4** Antonio aime "el vino blanco, el café solo, Valencia, el trabajo, el norte de España, el helado de chocolate, la carne" et il n'aime pas le reste.
Grammaire : Exercice **1** (a) creo que sí (b) pienso en (c) creo que nó (d) pienso que sí (e) no te crees. Exercice **2** me gustan los huevos; ¿le gusta España?; ¿qué te gusta más, el fútbol o el tenis?; no me gusta nada, nada, nada; me gusta muchísimo.
Lire et comprendre : (1) tempéré (2) pour s'y reposer (3) d'Almeria à Tarifa (4) le poisson et les coquillages (5) Malaga.

de vacaciones

12

Vous allez apprendre

- à demander le temps qu'il fait
- à parler du climat de votre pays
- à comprendre les prévisions de la météo
- à parler des sports que vous pratiquez
- à mieux connaître la géographie de l'Espagne.

Avant de commencer

Le climat en Espagne réserve plus de surprises qu'on ne l'imagine. Vous trouverez dans ce chapitre quelques indications à ce sujet et les expressions nécessaires pour comprendre les renseignements qui vous seront donnés et prévoir vos voyages en fonction de la météo.

Dialogues

Dialogues

1 Quel temps fait-il à Madrid?

Dámaso Oye, ¿qué tiempo hace aquí, en Madrid, en general?

Teresa Pues mira, en invierno frío, a veces hace muchísimo frío, y aire ¿sabes? tenemos cerca la sierra ... y en verano un calor horroroso; a veces, en julio, sobre todo, una barbaridad. ..

Dámaso Pues las dos veces que yo he venido hacía un tiempo estupendo, como ahora ...

Teresa Sí, claro, ahora en octubre da gusto ...

- **el frío** le froid
- **el aire** l'air, le vent
- **la sierra** la montagne, la chaîne montagneuse
- **el calor** la chaleur

TRES MESES DE INFIERNO!

pues mira ... voici encore un impératif, celui du verbe **mirar** regarder. Nous allons y revenir dans la « Grammaire » de ce chapitre.

✦ **una barbaridad** (littéralement une horreur). Cette formule est très prisée des Espagnols qui en émaillent leur conversation lorsqu'ils veulent exprimer l'étonnement, la surprise, etc. Autre expression très utilisée ¡**qué barbaridad!** quelle horreur!

✦ **hacía un tiempo estupendo** il faisait un temps splendide. Attention **hacia,** sans accent, signifie vers, aux environs de ; **hacia las cuatro** vers quatre heures. Est-il utile de vous rappeler que **el tiempo** traduit le temps qu'il fait et celui qui passe?... ¿**qué tiempo tiene?** quelle heure avez-vous? mais ¿**qué tiempo hace?** quel temps fait-il?
da gusto cela fait envie, c'est tentant.

2 Des climats pour tous les goûts

Suzanne	**Donde hace un calor enorme es en Málaga, ¡casi se muere uno!**
Pepe	**Bueno, es que en este país hay climas para todos los gustos, y el Sur ya se sabe, es caluroso. Pero el Norte es frío y a veces no para de llover durante semanas. En las costas es donde el clima es más suave. Lo que pasa es que la gente viene a España en verano sobre todo, y al Mediterráneo, a las playas sólo, y se creen que toda España es así, siempre con buen tiempo . . .**

- **caluroso** chaud • **llover** pleuvoir • **la lluvia** la pluie
- **el clima** le climat • **suave** doux

♦ **¡casi se muere uno!** on en meurt presque. **Se muere** on meurt du verbe **morir.** « On » se traduit le plus souvent par la troisième personne du singulier du verbe précédé du pronom **se. Se habla español** on parle espagnol. Mais sachez que ce n'est là qu'une des manières de traduire la formule impersonnelle on.
el Norte es frío le Nord est froid.
♦ **no para de llover** il n'arrête pas de pleuvoir. **Parar de** arrêter de est suivi du verbe à l'infinitif. Notez que le mot **el paro** signifie le chômage.

3 Ski et montagne

John	**¿Tenéis la posibilidad de hacer algún deporte aquí en invierno, de esquiar . . .?**
Pedro	**La verdad es que no todos somos deportistas, ya sabes, pero sí, tengo amigos que van a la sierra casi todos los domingos a esquiar, en coche está a una hora de aquí: bueno, cuando hay nieve, claro . . .**
John	**¿A una hora de aquí?**
Pedro	**Sí hay varios sitios y el Puerto de Navacerrada está a casi 2000 metros de altitud, allí vamos algunas veces . . .**

- **el deporte** le sport
- **el deportista** le sportif
- **esquiar** skier
- **la nieve** la neige
- **casi** presque
- **la altitud** l'altitude

casi todos los domingos presque tous les dimanches.
♦ **allí vamos algunas veces** nous y allons quelquefois. Notez que **allí** qui signifie là-bas s'emploie aussi dans le sens de « y ».
algunas veces quelquefois, parfois.

159

4 Tennis et natation

John   **Lo que no sabía yo, es que jugabais tanto al tenis . . .**

Pepe   **Casi todas las piscinas tienen también un campo de tenis y sobre todo los jóvenes jugamos bastante, pero como verás lo que más le gusta a la gente es bañarse e ir a la piscina ; yo creo que es el único deporte que hacemos los españoles en general . . .**

- **jugar** jouer
- **el tenis** le tennis
- **la piscina** la piscine
- **el campo** le court (de tennis), campagne, champ
- **el joven** le jeune
- **bañarse** se baigner

lo que no sabía yo, es que jugabais . . . ce que je ne savais pas, c'est que vous jouiez... Ces deux verbes sont conjugués à l'imparfait que vous allez apprendre dans la « Grammaire » p. 167.

▶ **jugamos bastante** nous jouons assez souvent. **Bastante** assez (comme **demasiado** trop, vu au chapitre 11) s'accorde en nombre devant un nom. **Bastantes libros** assez de livres, **bastantes camisas** assez de chemises. Mais attention, il ne s'accorde pas en genre : **bastante agua** assez d'eau.

5 Dámaso et le sport

John   **Y a ti, Dámaso, ¿te gusta también mucho nadar?**

Dámaso **Cuando hace mucho calor, sí, me paso el día en la piscina ; otras veces prefiero ir con mis amigos por ahí, a dar una vuelta, tenemos todos moto, sabes, o a alguna discoteca : antes, cuando iba al colegio, hacía mucho más deporte, ahora, de momento me siento un poco vago . . .**

- **nadar** nager
- **la moto** la moto, la motocyclette
- **la discoteca** la discothèque
- **vago** paresseux

♦ **a dar una vuelta** faire une promenade. **La vuelta** signifie la promenade, le tour. Les sportifs connaissent sans doute **La Vuelta** le Tour d'Espagne cycliste...

antes, cuando iba al colegio avant (autrefois) quand j'allais au collège. Encore un exemple d'imparfait, celui du verbe **ir.**

Retenez aussi :

antes avant

después, luego après

ahora, de momento maintenant, en ce moment, à l'heure actuelle.

6 Les prix en haute saison

Suzanne	**He pedido precios al hotel que me recomendó una amiga, y es carísimo, ¡están locos!**
Pepe	**¿Para cuándo has pedido, para qué mes?**
Suzanne	**Para agosto.**
Pepe	**¡Hombre! es que julio y agosto tienen precios de temporada alta, como les llaman ahora a esos meses, y cobran el quince por ciento más o algo así. Yo sé que una amiga mía y su marido estuvieron a finales de septiembre y ya es otra cosa . . .**

- **loco** fou
- **cobrar** faire payer, encaisser

he pedido, has pedido sont les deux premières personnes du singulier du passé composé du verbe **pedir** demander.

♦ **que me recomendó una amiga** que m'a recommandé une amie.

una amiga mía y su marido estuvieron a finales de septiembre une amie et son mari y étaient fin septembre.

Recomendó et **estuvieron** sont deux exemples de passé simple.

tienen precios de temporada alta littéralement : ils ont des prix de haute saison (à savoir les mois de plein été : **julio, agosto** juillet, août).

♦ **cobran el 15 % más o algo así** ils font payer 15 % de plus ou quelque chose du genre.

161

Recepcionista	Lo siento, señor, pero el hotel está llenísimo y sólo nos quedan dos habitaciones, una con medio aseo y otra sólo con lavabo. Si quieren una para esta noche, mañana habrá ya alguna libre con cuarto de baño . . .
Pepe	¿La de medio aseo es con ducha o . . .?
Recepcionista	Sí, sí con ducha y lavabo.
Pepe	Bueno, entonces nos quedamos y mañana . . .
Recepcionista	De todas maneras hay un cuarto de baño para toda la planta en el tercer piso, donde estarán ustedes . . .
Pepe	Vale, de acuerdo.
Recepcionista	Entonces rellenen la ficha por favor.

- **lleno** plein
- **llenísimo** très plein
- **el medio aseo** le cabinet de toilette
- **el lavabo** le lavabo
- **el cuarto de baño** la salle de bains

mañana habrá ya alguna libre demain, j'en aurai une (littéralement : demain, il y aura alors quelque chose de libre).

Mots clés & expressions idiomatiques

¿qué tal el tiempo?	quel temps fait-il?
hace frío/calor	il fait froid/chaud
hace sol/viento	il y a du soleil/vent
hace buen/mal tiempo	il fait beau/il fait mauvais
llueve	il pleut
está cubierto, hay nubes	le ciel est couvert, il y a des nuages
nieva	il neige
hay niebla	il y a du brouillard
graniza	il grêle
hiela	il gèle
¿cómo es el clima?	quel est le climat?
el clima es . . .	le climat est...
lluvioso	pluvieux
nublado, nubloso	nuageux
húmedo	humide
caluroso, caliente	chaud
suave	doux, tempéré
malo	malsain
depende . . .	cela dépend...

Les saisons de l'année

la primavera	le printemps
el verano	l'été
el otoño	l'automne
el invierno	l'hiver

Mettez
en pratique
ce que vous avez appris

1 Vous allez entendre un bulletin météorologique à la radio. Après avoir écouté la cassette autant de fois que vous le jugerez utile et en vous servant de la carte ci-dessous, cochez, parmi les affirmations proposées, celles qui vous semblent exactes. (Réponses p. 172)

Vocabulaire

la tormenta l'orage
las nubes alternas les passages nuageux
despejado clair, dégagé
las temperaturas bajas les températures basses

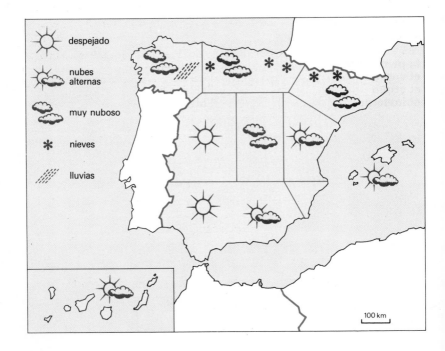

a Dans le Centre
- ☐ il y a du brouillard
- ☐ le temps est très nuageux
- ☐ il pleut

b Dans l'Ouest du pays
- ☐ le temps est pluvieux
- ☐ il ne pleut pas

c Dans le Nord, il y a
- ☐ de la neige en montagne
- ☐ des éclaircies
- ☐ du vent d'ouest

d Dans l'Est, dans la zone de Valence, le temps est
- ☐ très nuageux
- ☐ peu nuageux
- ☐ relativement pluvieux

d Dans le Sud, le temps est
- ☐ clair
- ☐ couvert
- ☐ brumeux

2 Pouvez-vous compléter les phrases suivantes avec les mots manquants? Tous ces mots ont un rapport avec le temps et commencent par la lettre C. Lorsque vous aurez terminé l'exercice, vérifiez vos réponses sur votre cassette. Attention la dernière phrase est un peu plus difficile que les autres. (Réponses p. 172)

a Hace mucho _____ en verano en Andalucía.

b El _____ es siempre muy bueno en las islas Baleares.

c El clima es _____ y seco en el sur.

d Oeste _____ en Galicia, con lluvia.

3 Complétez ces mots croisés à partir des définitions qui vous sont données sur la cassette. (Réponses p. 172)

4 Regardez les deux tableaux ci-dessous. Le premier indique les températures moyennes de la Costa del Sol et le second donne les températures de l'eau pour toute l'année. Cependant, certains des relevés ont été omis. A vous donc de les compléter en écoutant la cassette. (Réponses p. 172)

TEMPERATURA AMBIENTE DE LA COSTA DEL SOL		°C
Temperatura media de invierno		
Temperatura media de primavera		
Temperatura media de verano		
Temperatura media de otoño		
Temperatura media anual		18.7

TEMPERATURA DEL AGUA				
enero	15.1	julio		
febrero	14.2	agosto		
marzo	15.2	septiembre	21.2	
abril	16.6	octubre	18.3	
mayo	17.4	noviembre	17.8	
junio		diciembre	14.4	

Grammaire

Le subjonctif présent

Le subjonctif présent est très utilisé en espagnol; sa formation est simple :

— Verbes du premier groupe (verbes dont l'infinitif se termine par **-ar**). Le **a** de l'infinitif se transforme en **e**.

MIRAR regarder
mire
mires
mire
miremos
miréis
miren

— Verbes du deuxième groupe (infinitif en **-er**) et du troisième groupe (infinitif en **-ir**). Dans les deux cas le **e** et le **i** de la désinence de l'infinitif se transforment en **a**.

LEER lire   **VIVIR** vivre
lea   **viva**
leas   **vivas**
lea   **viva**
leamos   **vivamos**
leáis   **viváis**
lean   **vivan**

L'impératif

Nous avons déjà vu plusieurs exemples de verbes à l'impératif dans les chapitres précédents : **oiga, mire,** etc.

Impératif du verbe **mirar** :

Mira el libro	Regarde le livre
Mire el libro	Regardez le livre (forme de politesse au singulier)
Miremos el libro	Regardons le livre
Mirad el libro	Regardez le livre (tutoiement au pluriel)
Miren el libro	Regardez le livre (forme de politesse au pluriel)

Pour les verbes réguliers des trois groupes :

- A la 2e personne du singulier : la forme de l'impératif est identique à la 3e personne du présent de l'indicatif.
- A la 2e personne du pluriel, l'impératif se forme en remplaçant le **r** de l'infinitif par un **d : mirar** → **mirad, leer** → **leed, venir** → **venid.**
- Aux autres personnes, l'impératif a la même forme que le subjonctif présent.

Notez qu'il n'y a pas de règle établie pour l'impératif des verbes irréguliers, une seule solution donc : les apprendre...

Souvenez-vous que lorsque l'impératif est suivi d'un pronom complément, ce dernier s'attache au verbe :

acércate un poco approche-toi un peu

quédese con la vuelta gardez la monnaie (voir chapitre 5)

A la forme négative, l'impératif se conjugue aussi comme le subjonctif présent, sans le pronom sujet bien sûr et avec la négation **no :**

no fumes por favor ne fume pas s'il te plaît.

L'imparfait de l'indicatif

L'imparfait de l'indicatif des verbes du premier groupe (en **-ar**) se forme en ajoutant au radical du verbe les terminaisons suivantes :

HABLAR

hablaba	**hablábamos**
hablabas	**hablabais**
hablaba	**hablaban**

Les verbes des deuxième et troisième groupes (en **-er** et **-ir**) ont les mêmes terminaisons à l'imparfait de l'indicatif :

VENDER   **VIVIR**

vendía	**vendíamos**	**vivía**	**vivíamos**
vendías	**vendíais**	**vivías**	**vivíais**
vendía	**vendían**	**vivía**	**vivían**

Lire & comprendre

El robot, uno más de la familia.

« Pepe, pasa la aspiradora », « Luisa, sírveme un whisky », « Pepe, límpiame los zapatos », « Luisa, tráeme el periódico ». Órdenes como éstas se oyen a diario en miles de hogares norteamericanos. Pepe o Luisa es el robot doméstico. Pronto en las familias españolas habrá uno más, un empleado que no se cansa, ni reivindica nada y que obedece a la voz de su amo.
El robot doméstico es como una chica o chico para todo.
Además de las funciones señaladas coloca cosas y juega con los niños.
Pero todavía en España cuestan caros: unos dos milliones de pesetas.
Cambio 16, no. 679, 3/10/84.

Vocabulaire

la aspiradora	l'aspirateur	**obedecer**	obéir
el periódico	le journal	**la voz**	la voix
la orden	l'ordre	**el amo**	le maître
a diario	journellement	**señalar**	signaler
el hogar	le foyer	**colocar**	ranger
reivindicar	protester		

Après avoir lu ce texte attentivement, essayez de faire les exercices ci-dessous. (Réponses p. 172)
a Inscrivez les 4 verbes de ce texte conjugués à l'impératif et donnez leur forme à l'infinitif :

_____   _____

_____   _____

_____   _____

_____   _____

b Traduisez la phrase : **Órdenes como éstas se oyen a diario en miles de hogares norteamericanos:**

_____

c Trouvez dans le texte un synonyme de l'adverbe **diariamente :** _____

d Relevez le verbe qui est employé à la forme pronominale et conjuguez-le au présent de l'indicatif : _____
Présent :

_____   _____

_____   _____

_____   _____

Le saviez-vous ?????

L'Espagne est le troisième pays européen par sa superficie : 500 000 km^2 et elle compte 37 millions d'habitants. Quatorze kilomètres seulement la séparent du continent africain où, jusqu'en 1956, elle possédait deux enclaves, Ceuta et Melilla. La population est répartie de façon très inégale avec une concentration marquée dans les grandes villes, les régions industrielles et les **huertas fértiles** plaines cultivées de Valence et de Murcie. Le Plateau Central (Castille et Aragon) est nettement moins peuplé et certaines régions comme celle de Huesca ou de Cuenca ont une densité inférieure à 10 habitants au km^2.

L'Espagne est un pays de contrastes par son climat, son relief et la diversité des langues parlées (espagnol, catalan, basque et galicien).

L'Espagne est divisée en 50 unités administratives ou provinces dont voici les principales classées par régions :

I. Espagne intérieure :
— **Castilla-León (Burgos, Palencia, Valladolid, Segovia, Ávila)**
— **Castilla-La Mancha (Toledo, Ciudad Real, Cuenca, Guadalajara, Madrid)**
— **Extremadura (Badajoz, Cáceres)**
— **Aragón (Zaragosa, Huesca, Teruel)**

II. Espagne atlantique :
— **Galicia (La Coruña, Pontevedra, Orense, Lugo)**
— **Asturías (Oviedo)**
— **Vascongadas (Viscaya, Guipúzcoa** et **Álava)**
— **Navarra (Pamplona)**

III. Espagne méditerranéenne :
— **Cataluña (Barcelona, Gerona, Tarragona, Lérida)**
— **Valencía (Valencia, Alicante)**
— **Murcia (Murcia, Albacete)**
— **Baleares (Mayorca, Minorca, Formentera).**

IV. **Andalucía**
— **Sevilla, Córdoba, Granada, Jaén, Huelva, Cádiz, Málaga** et **Almería.**

V. **Canarias**
— **Sta Cruz de Tenerife** et **Las Palmas.**

1 Vue générale sur Tolède.

2 Une ferme en Estrémadure.

3 La Sierra Nevada.

4 Saint-Jacques de Compostelle.

5 6

5 Un village du Sud.

6 Benidorm sur la Méditerranée.

7 Le château Belver à Palma de Majorque.

8 Un paysage d'Andalousie.

9 Les Canaries : Santa Cruz.

9

7

8

A vous de parler

Vous êtes avec un ami espagnol et vous lui parlez du temps qu'il fait en France.

Vocabulaire

nunca jamais

Et, pour terminer, réécoutez l'ensemble des dialogues et essayez de récapituler à haute voix tous les mots et expressions que vous connaissez ayant trait au climat.

Réponses

Mettez en pratique ce que vous avez appris : Exercice **1** (a) très nuageux (b) pluvieux (c) neige en montagne (d) peu nuageux (e) clair. Exercice **2** (a) calor (b) clima (c) caluroso (d) cubierto. Exercice **3** Horizontales (1) costa (2) centro (3) otoño. Verticales (1) oeste (2) nieve (3) seco. Exercice **4** invierno: 13/14 °C; primavera: 20 °C; verano: 24°; otoño: 16 °C; temperatura del agua en junio, julio y agosto: 20° a 22 °C.

Lire et comprendre : Exercice (a) pasa / pasar, sírveme / servir límpiame / limpiar, tráeme / traer. (b) On entend des ordres comme ceux-ci quotidiennement dans des milliers de foyers nord-américains. (c) a diario (d) me canso, te cansas, se cansa, nos cansamos, os cansáis, se cansan.

Vous allez apprendre

- à poser aux gens des questions concernant leurs habitudes
- à répondre à ces mêmes questions
- à parler de vos distractions favorites
- comment les Espagnols occupent leur temps de loisir.

Avant de commencer

N'oubliez pas que dix minutes de travail par jour valent beaucoup mieux qu'une heure par semaine.

Dialogues

Dialogues

1 Marcos donne son emploi du temps

Pepe	**Hola.**
Marcos	**Hola.**
Pepe	**¿Qué haces un día normal?**
Marcos	**Yo me levanto a las seis de la mañana, me ducho, me arreglo y salgo a trabajar.**
Pepe	**¿No desayunas?**
Marcos	**Pasadas dos horas de trabajo, desayuno.**
Pepe	**¿Dónde?**
Marcos	**Pues en un bar.**
Pepe	**Bien, ¿y a qué hora comienzas a trabajar?**
Marcos	**A las ocho de la mañana.**
Pepe	**¿Y a qué hora terminas de trabajar?**
Marcos	**A la una y media.**

● **salgo** je pars (**salir** partir)

yo me levanto je me lève, **me ducho** je prends une douche, **me arreglo** je me prépare. Ces trois verbes : **levantarse** se lever, **ducharse** prendre une douche, **arreglarse** se préparer sont des verbes pronominaux réfléchis. (Voir la « Grammaire » p. 181)
¿no desayunas? tu ne prends pas de petit déjeuner?
desayunar prendre le petit déjeuner. **El desayuno** le petit déjeuner.
Marcos dit à Pepe qu'il prend son petit déjeuner deux heures après avoir commencé son travail ; c'est une pratique fréquente parmi les gens qui travaillent de prendre le petit déjeuner dans le courant de la matinée.
Le petit déjeuner espagnol consiste en un simple café avec des toasts **tostados,** ou en un chocolat chaud, parfois accompagné de **churros** (beignets sucrés de forme allongée servis chauds).
¿a qué hora comienzas a trabajar? à quelle heure commences-tu à travailler? **Comenzar a** commencer à, de. **Empezar** traduit également commencer.
¿y a qué hora terminas de trabajar? et à quelle heure arrêtes-tu de travailler? **Terminar de** arrêter de : **¿cuando termina la película?** quand le film se termine-t-il?

2 La journée de Teresa

Rosario	**¿Qué haces un día normal?**
Teresa	**Me levanto a las siete de la mañana, desayuno, me arreglo, me voy a la oficina, estoy hasta las tres, regreso a casa, almuerzo, me ocupo de la casa. Algunas veces salgo a la calle de compras. Generalmente no salgo, me quedo en casa y descanso lo que puedo: leo, veo la tele, o cosas así.**

- **la oficina** le bureau
- **regreso** je reviens
  (**regresar** revenir, retourner)
- **descansar** se reposer
- **leo** je lis (**leer** lire)
- **la tele** la télévision

♦ **salgo a la calle de compras** je vais en ville (littéralement : à la rue) faire des emplettes. **Comprar** acheter. Vous souvenez-vous de la traduction de vendre ? **Vender** bien sûr et de vendeur ? **El vendedor.**
me quedo en casa je reste à la maison. **Quedarse** rester (dans un lieu).
descanso lo que puedo je me repose autant que je peux. **El descanso** le repos.

3 Un étudiant décrit sa journée

Pepe	**Y tú ¿a qué hora te levantas?**
Estudiante	**Yo, a las nueve.**
Pepe	**¿Y después?**
Estudiante	**Pues voy al colegio todos los días menos el sábado y el jueves.**
	¿Vuelves a casa después del colegio?
	No. Me quedo un rato con los amigos, trabajamos juntos o vamos a la cafeteria.
Pepe	**¿Y a qué hora te acuestas?**
Estudiante	**Me acuesto normalmente a las once.**
Pepe	**¿Te gusta mirar la televisión?**
Estudiante	**Sí.**
Pepe	**¿Cuál es tu programa favorito?**
Estudiante	**Pues el serial « Mariana Pineda ».**

- **después** ensuite, après
- **acostarse** se coucher
- **el programa** le programme
- **el serial** le feuilleton

y tú ¿a qué hora te levantas? et toi, à quelle heure te lèves-tu?
♦ **¿y a qué hora te acuestas?** et à quelle heure te couches-tu?
Réponse : **me acuesto a ...** je me couche à...
¿te gusta mirar la televisión? tu aimes regarder la télévision?
Dans le dialogue 2, vous avez appris **veo la tele** je regarde la télé. A
strictement parler, cependant, **mirar** signifie regarder et **ver**, voir.
♦ **¿cuál es tu programa favorito?** quel est ton programme préféré?
Programa comme **día** et **turista** sont du genre masculin bien qu'ils se
terminent par un **a** : **el día, el turista.**

---

4 Antonio est à la retraite

Pepe   Y usted, don Antonio, ¿cómo se pasa el día?
Antonio   Normalmente, me levanto a las ocho de la mañana,
            desayuno, salgo a las nueve y media o así a darme un
            paseo por ahí. Después al mediodía almuerzo y por la
            tarde no acostumbro a salir, me quedo en casa, hasta el
            día siguiente.
Pepe   ¿No trabaja usted?
Antonio   No, porque estoy ya jubilado.
Pepe   ¡Qué bien! ¿Así puede dormir la siesta?
Antonio   Sí, en verano siempre duermo la siesta.

• **por ahí**   dans les environs
• **acostumbrar**   avoir l'habitude
• **jubilado**   retraité
• **la siesta**   sieste

¿cómo se pasa el día? comment passez-vous la journée?
salgo . . . a darme un paseo por ahí je sors... faire un tour dans les
environs.
hasta el día siguiente jusqu'au lendemain.
♦ **duermo la siesta** je fais la sieste (littéralement : je dors la sieste). On
peut aussi employer l'expression **echar una siesta.**
Duermo est la 1re personne du singulier du présent verbe irrégulier
dormir.

5 La famille projette une sortie

Madre	**¿Qué vamos a hacer hoy?**
Padre	**¿Vamos a visitar el museo?**
Madre	**No, yo quiero ir al cine.**
Padre	**Primero vamos a visitar el museo y después vamos al cine. ¿Conforme?**
Madre	**Sí**
Abuelo	**Yo quiero quedarme aquí a ver la tele.**
Hijo	**Yo quiero ir a bailar con mis amigos.**
Abuelo	**Pues estos jóvenes, que se vayan a algún sitio porque yo quiero ver tranquilo el partido que van a televisar.**

- **el museo** le musée
- **el cine** le cinéma
- **el abuelo** le grand-père, l'aïeul
- **bailar** danser
- **el joven** le jeune, l'adolescent
- **tranquilo** dans le calme
- **el partido** le match, la partie
- **televisar** téléviser, retransmettre à la télévision

¿conforme? synonyme de l'expression **de acuerdo** d'accord, entendu.
pues estos jóvenes, que se vayan a algún sitio et bien, que les jeunes aillent où ils veulent. **Vayan** est la troisième personne du pluriel du verbe **ir** au subjonctif présent.
a algún sitio quelque part. Nous avons la préposition **a** devant le complément de lieu car il y a mouvement. Dans le cas contraire, la préposition employée serait **en** : **me quedo en algún sitio** je reste quelque part.

Mots clés & expressions idiomatiques

¿qué hace usted un día normal?	quel est votre emploi du temps habituel?
me levanto	je me lève
me lavo	je me lave
me visto	je m'habille
me peino	je me peigne
me arreglo	je me prépare
me acuesto	je me couche
doy un paseo	je fais un tour, une promenade
salgo (de compras)	je vais faire des courses
¿qué vamos a hacer?	qu'allons-nous faire?
voy a echar una siesta	je vais faire une sieste
me quedo en casa	je reste à la maison
regreso a la oficina	je retourne au bureau
quiero ver (la tele)	je veux regarder (la télévision)
quiero ir (al cine)	je veux aller (au cinéma)
el día siguiente	le lendemain
¿cuál es tu programa favorito?	quel est ton programme préféré, favori?
el desayuno	le petit déjeuner
el almuerzo	le déjeuner
la merienda	le goûter
la cena	le dîner
desayunar/almorzar/merendar/cenar	prendre le petit déjeuner/déjeuner/goûter/dîner.

Mettez en pratique ce que vous avez appris

1 Imaginez que vous êtes la jeune femme des dessins ci-dessous. Répondez à haute voix aux questions enregistrées sur votre emploi du temps pour la journée de demain. Écrivez vos réponses sous chaque dessin. (Réponses p. 186)

a   b   c   d

e   f   g

2 Dans la colonne de gauche figurent les activités de Miguel et dans celle de droite différentes heures de la journée. A vous de faire correspondre les deux colonnes en inscrivant le numéro de l'activité à la suite de l'heure à laquelle elle se déroule. Vérifiez ensuite vos réponses en écoutant la cassette.

faenas tâches, corvées

1 me visto.	A las seis y media ☐
2 comienzo a desayunar	A las siete menos cuarto ☐
3 trabajo en la oficina	
4 regreso a casa	A las siete y cinco ☐
5 ceno	A las siete y media ☐
6 me levanto	Desde las ocho de la mañana hasta las dos de la tarde ☐
7 salgo para la oficina	A las dos de la tarde ☐
8 me acuesto	A las tres ☐
9 salgo a almorzar	Desde las tres hasta las nueve ☐
10 hago faenas, salgo a dar un paseo, leo	A las nueve ☐
	A las once de la noche ☐

3 Miguel interroge Beatriz sur ses habitudes quotidiennes. A vous de compléter le dialogue avec les réponses de Béatriz qui figurent dans l'encadré ci-dessous. (Réponses p. 186)

Miguel	**Beatriz, quiero saber lo que haces un día normal.**
Beatriz	_____
Miguel	**Pues sí.**
Beatriz	_____
Miguel	**¿Y después del desayuno?**
Beatriz	_____
Miguel	**¿Y qué haces a la una y media?**
Beatriz	_____
Miguel	**¿Y después del almuerzo?**
Beatriz	_____
Miguel	**¿Y después de eso regresas a casa?**
Beatriz	_____
Miguel	**Bien ¿y a qué hora te acuestas?**
Beatriz	_____

A la una de la noche aproximadamente.
¿Lo que hago un día normal?
Pues almuerzo en un restaurante cerca del colegio
Uy, muchas cosas, me levanto a las seis y desayuno.
Vuelvo al trabajo y estoy allí hasta las cinco o las cinco y media.
Después del desayuno, voy al trabajo y estoy allí hasta la una y media.
Normalmente, sí. Regreso a casa y leo, veo la tele, algunas veces me arreglo y salgo a dar un paseo.

Grammaire

Les verbes pronominaux

LEVANTARSE se lever

Présent de l'indicatif

me levanto	**nos levantamos**
te levantas	**os levantáis**
se levanta	**se levantan**

L'emploi du pronom réfléchi est obligatoire. Comme vous pouvez le constater, il est identique au pronom personnel complément d'objet indirect sauf à la 3ᵉ personne du singulier et du pluriel où l'on emploie **se** et non **le** ou **les**.

Ce pronom se place devant le verbe sauf si ce dernier est à l'impératif à la forme affirmative (comme nous l'avons vu dans le chapitre précédent) ou à l'infinitif. Dans ces deux cas, le pronom se soude à la terminaison du verbe :

Voy a levantarme a las siete de la mañana. Je vais me lever à sept heures du matin.

Levántate a las nueve. Lève-toi à neuf heures.

Exercice 1

Ajoutez les pronoms appropriés devant les verbes conjugués ci-dessous. (Réponses p. 186)

a _____ van.

b _____ arreglamos.

c _____ quedas.

d _____ levanto.

e _____ peináis.

f _____ acuesta.

ellos se		me
	se	
		os
nos		
		te

Le verbe « salir »

SALIR sortir, partir (verbe irrégulier)

Présent de l'indicatif

salgo	**salimos**
sales	**salís**
sale	**salen**

Exercice 2

Complétez les phrases suivantes avec les formes correspondantes du verbe **salir**. (Réponses p. 186)

a **Yo** _____ de compras.

b **Mi padre** _____ a trabajar a las seis.

c **Nosotras** _____ de paseo antes de la cena.

d **Ellas** _____ de la oficina a las dos de la tarde.

e **¿Por qué no** _____ vosotros a jugar?

Les prépositions

Voici les principales prépositions de lieu, de temps, etc. :

en	à	**Estoy en París.**	Je suis à Paris.
a	à	**Voy a Madrid.**	Je vais à Madrid.
con	avec	**Hablo con Pepe.**	Je parle avec Pepe.
sin	sans	**Doy un paseo sin ti.**	Je me promène sans toi.
en	dans	**Estoy lavando en la cocina.**	Je lave dans la cuisine.
fuera de	hors de	**Vivo fuera de Madrid.**	Je vis à l'extérieur de Madrid.
sobre	sur	**El papel está sobre la mesa.**	Le papier est sur la table.
bajo	sous	**El perro duerme bajo la mesa.**	Le chien dort sous la table.
cerca de	près de	**Estoy cerca de la oficina.**	Je suis près du bureau.
lejos de	loin de	**Mis padres viven lejos de mí.**	Mes parents vivent loin de moi.
entre	entre	**La puerta está entre dos ventanas.**	La porte est entre deux fenêtres.
antes de	avant	**Me lavo las manos antes de la comida**	Je me lave les mains avant le repas.
después de	après	**Leo después de la cena.**	Je lis après le dîner.
durante	pendant	**Viajo durante el verano.**	Je voyage pendant l'été.

Lire & comprendre

Après avoir lu cette critique avec attention, cochez les réponses qui vous semblent exactes. (Réponses p. 186)

MARTES 4 (21,35 h.),
TVE-1

Mariana, de cine

Esta nueva visión de Mariana Pineda, heroína liberal ajusticiada por el Gobierno de Fernando VII, no va a resolver probablemente el enigma que envuelve su vida y su leyenda. La puesta en escena barroquizante de Rafael Moreno Alba se corresponde con una interpretación lineal de Pepa Flores, carente de matices y dispuesta a convertir a su personaje en heroína sin mácula ni contradicciones. El romanticismo de la intriga no ha de implicar automáticamente un planteamiento esquemático como el que se propone desde el principio, identificando a los liberales como los « buenos » y a los absolutistas con los « malos » de la película. ¡Qué difícil le es a TVE mostrar nuestra propia historia!

Cambio 16, no. 680

ajusticiada jugée
la leyenda la légende
carente exempte de, sans
el matiz la nuance
la mácula la tache
el planteamiento l'exposé
el principio le début

1 Mariana Pineda est un(e)
- ☐ personnage historique
- ☐ personnage de fiction
- ☐ actrice de cinéma

2 Rafael Moreno Alba est
- ☐ l'acteur principal
- ☐ le producteur
- ☐ le metteur en scène

3 L'héroïne est une jeune femme
- ☐ perverse
- ☐ pure et sans contradiction
- ☐ tourmentée

4 L'intrigue est
- ☐ tragique
- ☐ romantique
- ☐ complexe

5 Les libéraux sont présentés comme
- ☐ les bons
- ☐ les méchants

Le saviez-vous ? ??????

Le théâtre

Madrid compte environ vingt théâtres et Barcelone une dizaine. Ils proposent en général deux représentations **las funciones teatrales** par soirée : une vers 19 heures et la deuxième vers 23 heures. Les meilleures places sont les fauteuils d'orchestre **las butacas** et les loges **los palcos**. Si votre budget est limité, vous trouverez sûrement des places à votre convenance dans les galeries **los anfiteatros**. Tout comme au cinéma, n'oubliez pas l'ouvreuse **la acomodadora** qui vous aidera à vous placer.

Afin d'éviter les déconvenues et les fours **los fracasos,** faites votre choix à partir des rubriques spectacles des journaux spécialisés **las carteleras** ou d'après les conseils des gens qui vous entourent.

Ces considérations très utilitaires aidant, il nous est apparu intéressant de remonter le temps et d'esquisser l'évolution du théâtre espagnol de ses origines à nos jours.

Le théâtre espagnol a longtemps été d'inspiration religieuse. Il faut attendre le xve siècle pour voir naître et se développer le théâtre profane avec celui qui est appelé le Patriarche du théâtre espagnol : Juan del Encina. Il mit en scène des bergers devisant sur l'amour et autres préoccupations du bas monde dans des églogues **Las Eglogas** qui sont restées célèbres. Si, dès le xvie siècle, les troupes de théâtre et les représentations s'organisèrent, c'est Lope de Rueda qui fit vraiment franchir un pas à ce genre littéraire en écrivant des petites pièces de veine comique **los pasos.**

Le Siècle d'Or se caractérise par deux genres théâtraux très distincts : l'**autosacramental,** pièce allégorique en un seul acte et représentée pour la Fête Dieu ou Corpus, et le genre profane représenté par Lope de Vega initiateur de la **comedia nueva** qui a laissé une production importante (environ 1800 pièces dont le quart à peine a survécu) et très diversifiée.

Au xviie siècle, Calderón de la Barca a été le premier à développer le genre dramatique. Le xixe siècle a vu la libération du théâtre qui devint de plus en plus proche des différents courants de pensée. Cette brève ébauche ne peut que se conclure sur un nom qui marquera à jamais l'univers théâtral : Federico García Lorca qui parvint à rétablir et affirmer ce qui, à ses yeux, paraissait fondamental : le lien étroit entre l'œuvre et son public. Nous ne citerons ici que sa grande trilogie **Bodas de Sangre, Yerma** et **La Casa de Bernarda Alba** passée à la postérité.

La corrida

La tauromachie a toujours des adeptes **los aficionados** et correspond à une longue tradition. En effet, c'est en 1852 que les corridas furent reconnues comme sport professionnel. Elles se déroulent de mars à novembre dans des arènes **las plazas de toros** qui peuvent parfois contenir jusqu'à 25 000 places.

Les meilleures places sont les **barreras** et **contrabarreras** qui sont situées tout près de l'arène. Les corridas ont lieu l'après-midi et comportent la mise à mort de six taureaux par trois matadors différents. Elles commencent, selon un rituel immuable, par le défilé en costume traditionnel de tous les acteurs avec, à la tête de chaque équipe ou **cuadrilla,** le **matador** dans son « habit de lumière ». Chaque combat ou **lidia** comporte trois actes qui permettent à l'homme d'imposer sa volonté au taureau avant la mise à mort proprement dite.

Au cours de la première phase du combat, la pique **picadores** ou **suerte de varas,** le taureau doit recevoir, de la main du picador, trois piques ou **varas** qui ont pour but de l'affaiblir. La deuxième phase voit l'entrée en scène du **banderillero** et des **peones** chargés de placer trois paires de **banderillas** dans le garrot de l'animal. Le troisième acte s'ouvre sur l'apparition du **matador** qui va être le seul acteur en face du taureau pour ce que les Espagnols appellent **« la suerte de matar »,** la mise à mort. Le **matador** va alors effectuer une série de passes ou **faenas,** muni de la **muleta** écarlate dissimulant l'épée avec laquelle il va porter l'estocade au moment qu'il jugera opportun. Selon la qualité de sa performance, le **matador** se verra accorder l'oreille, la queue du taureau et l'honneur de faire le tour de l'arène pour recevoir les ovations de la foule.

Le football

Le football, quant à lui, a pris une telle importance qu'il est maintenant le sport national numéro un. Outre les adeptes des stades et des retransmissions télévisées, il compte de nouveaux associés ou **socios,** membres actifs des quelques 200 clubs espagnols parmi lesquels nous ne citerons que les trois grands : le **Real Madrid,** le **Barcelona Fútbol Club** et l'**Atlético de Bilbao.** Ce sport déchaîne toutes les semaines les jeux de pronostics ou **quinielas,** pari sur les victoires des équipes comparables au tiercé français. Les péripéties des divers clubs occupent une large part de la presse spécialisée dont **MARCA,** journal sportif très apprécié.

Défilé qui précède la corrida.

A vous de parler

Dans cet exercice, vous allez décrire votre emploi du temps quotidien, ce qui vous donnera l'occasion d'employer bon nombre des verbes pronominaux appris dans ce chapitre. Peut-être serait-il utile que vous revisiez la façon de dire l'heure (chapitre 6).

Pouvez-vous traduire :
onze heures et quart, six heures et demie, neuf heures moins vingt, cinq heures moins le quart, quatre heures ? (Réponses au bas de la page)
Et, pour terminer, écoutez à nouveau la totalité des dialogues et revoyez les mots-clés et les expressions idiomatiques. Conjuguez ensuite par écrit le verbe **arreglarse** au présent de l'indicatif. (Réponse au bas de la page)

¿ qué vamos a hacer ?

Vous allez apprendre

- à demander à quelqu'un ce qu'il a l'intention de faire
- à donner et à comprendre les réponses à ces questions
- quels sont les grands moments de la tradition religieuse et folklorique.

Avant de commencer

Vous connaissez déjà une façon de vous exprimer au futur : **ir a** (aller) + verbe à l'infinitif : **voy a trabajar mañana** je vais travailler demain. Vous pouvez évidemment employer aussi le futur : **trabajaré mañana** je travaillerai demain.

Rappelez-vous un conseil que nous vous avons déjà donné. Mieux vaut penser en espagnol quelques minutes tous les jours que de prendre un bain linguistique occasionnel.

Lorsque vous aurez vu ce chapitre exercez-vous à construire quelques phrases décrivant vos activités quotidiennes ou encore vos projets. Prononcez-les à haute voix.

Dialogues

1 Que faisons-nous ce soir ?

Miguel	**¿Qué vamos a hacer esta tarde?**
Maria	**No sé ¿qué te apetece a tí?**
Miguel	**¿Vamos a la discoteca, a bailar?**
Maria	**Echan una buena obra de teatro. ¿Te parece que vayamos al teatro?**
Miguel	**Bien ¿y adónde vamos después del teatro?**
Maria	**Podemos ir a un restaurante a cenar.**
Miguel	**Perfectamente. Creo que me gustará mucho.**

* **la discoteca** la discothèque
* **la obra** l'œuvre
* **perfectamente** parfaitement

♦ **¿qué vamos a hacer esta tarde?** qu'allons-nous faire ce soir ?
Vous pouvez répondre par un futur immédiat :
vamos a . . . nous allons...
voy a . . . je vais...
Dans les deux cas, le verbe qui suit est à l'infinitif : **voy a trabajar** je vais travailler.

♦ **¿qué te apetece a tí?** de quoi as-tu envie ? Si vous vouvoyez la personne, dites **¿qué le apetece?** de quoi avez-vous envie ? Cette formule s'emploie aussi lorsque vous voulez vous renseigner sur les goûts culinaires de quelqu'un : **¿le apetece el pescado?** vous aimez le poisson ? Notez que poisson a deux traductions en espagnol : **el pez,** tant qu'il est en vie et **el pescado** lorsqu'il est dans votre assiette.

♦ **echan una buena obra de teatro** ils jouent une bonne pièce de théâtre. Le verbe **echar,** qui signifie littéralement jeter, s'emploie dans de nombreuses expressions avec des sens très différents :
echar una siesta faire la sieste
echar a correr se mettre à courir
echarse a reír se mettre à rire
¿te parece que vayamos al teatro? que penserais-tu d'aller au théâtre ?, autre façon de dire **¿qué te parece . . .? Vayamos** est le subjonctif présent du verbe irrégulier **ir.** Retenez : **vaya, vayas, vaya, vayamos, vayáis, vayan.** Autre alternative à **¿qué le parece . . .?** : **¿podemos . . .?**
podemos ir a un restaurante a cenar nous pourrions aller au restaurant pour dîner ou **podemos ir al partido de fútbol** nous pourrions aller au match de football.

♦ **creo que me gustará mucho** je pense que cela me plaira beaucoup
Gustar est conjugué ici au futur. Notez que la 3e personne du futur se forme en ajoutant la terminaison **-á** à l'infinitif du verbe : **¿comerá?** mangerez-vous ?

2 Projets pour un samedi

Sandra	**¿Qué hará el sábado próximo?**
Maria	**Pues lo normal para un sábado : me levantaré más tarde, después desayunaré ligeramente y saldré de compras. Por la tarde tengo dos sobrinas muy monas. Las sacaré de paseo.**

● **la sobrina** la nièce
● **mono(a)** mignon(ne)

¿qué hará? ou **¿qué va a hacer?** que ferez-vous ? qu'allez-vous faire ?
Autres exemples du futur dans ce dialogue : **me levantaré, desayunaré, saldré.**
⬦ **saldré** est le futur irrégulier du verbe **salir.** Nous l'apprendrons dans la « Grammaire » de ce chapitre.
las sacaré de paseo j'irai les promener (**sacar de paseo** promener un enfant, un chien, etc.).

3 Et que doit faire Sandra ?

Maria	**¿Y usted tiene mucho que hacer hoy?**
Sandra	**Tengo que ir al ayuntamiento para retirar unos documentos que me tienen que entregar.**
Maria	**Muy bien, y ¿qué hará después usted?**
Sandra	**Después, bueno, pasaré a tomar un aperitivo con unos amigos y nos pondremos de acuerdo para ir a almorzar juntos.**
Maria	**Muy bien.**

● **retirar** retirer
● **el documento** le document
● **entregar** transmettre, délivrer.

que me tienen que entregar qu'ils doivent me délivrer.
pasaré a tomar un aperitivo je passerai boire un apéritif.
⬦ **nos pondremos de acuerdo** nous nous mettrons d'accord. **Poner** est un verbe irrégulier. Voyez sa conjugaison au futur p. 197.

4 Chez le coiffeur

Luisa	Quiero que me corte el pelo, no sé, no me queda bien ahora como lo llevo.
Peluquero	Se lo voy a cortar de arriba porque está muy largo y tiene mucho peso, por eso le cae así. ¿Qué le parece?
Luisa	Pues, Ud. verá si queda bien . . .
Peluquero	Sí, ya verá. Le seco el pelo con secador de mano o prefiere . . .?
Luisa	Sí, sí, como siempre . . .

- **el pelo** les cheveux
- **largo** long
- **el peso** le poids
- **secar** sécher
- **el secador de mano** le séchoir à main

quiero que me corte el pelo je voudrais que vous me coupiez les cheveux. Nous avons ici un autre exemple de subjonctif présent, celui du verbe **cortar** couper.

L'expression **quiero que . . .** est toujours suivie du subjonctif.

no me queda bien ahora como lo llevo je ne me trouve pas bien comme ça (littéralement : je ne reste pas bien tels que je les porte).

se lo voy a cortar de arriba je vais vous les couper sur le dessus. **Arriba** signifie dessus et **abajo** dessous. **Se** (pronom personnel complément d'objet indirect à la troisième personne du singulier) est employé ici à la place de **le** comme chaque fois que deux pronoms de la troisième personne sont placés côte à côte : **se las compraré** je vous les achèterai.

‣ **le seco el pelo** je vous sèche les cheveux.

5 Pepe voudrait aller à Chipiona

Pepe	¿Por favor, para ir a Chipiona, a la playa de Chipiona?
Gasolinero	Pues, puede usted ir por la autopista o coger la carretera nacional, es igual.
Pepe	En esa autopista hay que pagar, ¿verdad?
Gasolinero	Sí, tiene que pagar peaje.
Pepe	¿Y por la nacional es directo?
Gasolinero	No, si va por ahí, se desviará a la derecha por la carretera 440 que va a Sanlúcar. Y allí dejará la carretera y cogerá una que va hacia la izquierda por la 441.
Pepe	Muchas gracias.

- **el peaje** le péage
- **se desviará** vous prendrez à (**desviar** changer de chemin)

- **es igual** cela revient au même.
- **en esa autopista, hay que pagar, ¿verdad?** sur cette autoroute, il faut payer n'est-ce pas? **Hay que** est la traduction littérale et invariable du français il faut : **hay que ir todo seguido** il faut aller tout droit, **¿hay que hacerlo?** faut-il le faire?

6 Où se trouve Utrera?

Pepe	**Por favor, ¿para ir a Utrera?**
Guardia civil	**Tome la autopista para Cádiz hasta la altura de Dos Hermanas. Luego tome la salida 7 de acceso a la general 432, a pocos kilómetros encontrará un cruce, girará a la izquierda y seguirá hacia Utrera.**
Pepe	**¿Qué distancia aproximadamente hay desde aquí, hasta Utrera, por favor?**
Guardia civil	**Unos treinta kilómetros.**
Pepe	**Gracias.**

- **el guardia civil** le gendarme
- **la altura** la hauteur, l'altitude
- **la salida** la sortie
- **encontrará** vous trouverez (**encontrar** trouver)
- **el cruce** un croisement, un carrefour
- **girará** vous tournerez (**girar** tourner)

- **hasta la altura de Dos Hermanas** jusqu'à la hauteur de **Dos Hermanas**. **Dos Hermanas** est le nom d'un village, d'un lieu-dit. La traduction littérale en serait « Les Deux Sœurs ». Par la même occasion, pourquoi ne pas essayer de retenir les mots suivants :
el cuñado le beau-frère, **la cuñada** la belle-sœur,
el suegro le beau-père, **la suegra** la belle-mère.
la salida 7 de acceso a la general 432 la sortie numéro 7 qui conduit à la Nationale 432.

7 Alejandro fait part de ses projets à Pepe

Pepe **¿Qué vas a hacer mañana?**
Alejandro **Yo me levantaré y después me iré un momentito a leer en mi despacho; comeré, luego veré la tele un poco e iré al ciné.**
Pepe **¿Qué película irás a ver?**
Alejandro **. . . « El crimen de Cuenca ».**

- **veré** je regarderai (du verbe **ver**)
- **la película** le film

♦ **me iré un momentito a leer** j'irai lire un petit moment.
Momentito (**momento** + suffixe **-ito**) est le diminutif du mot **momento.**
Il existe un autre suffixe pour former les diminutifs : **-illo.** Bien entendu, ces suffixes sont variables en genre et en nombre. Notez que les diminutifs s'emploient surtout pour traduire une connotation affective (tendresse, humour, etc.).
« El crimen de Cuenca » (littéralement : « Le crime de Cuenca ») est le titre d'un film espagnol réalisé par Pilar Miró en 1984.

Mots clés & expressions idiomatiques

¿qué vamos a hacer?	qu'allons-nous faire?
vamos a (dar un paseo)	nous allons (faire une promenade)
voy a (salir de compras)	je vais (sortir faire des courses)
tengo que (ir allí)	je dois (aller là-bas)
hay que (verlo)	il faut (le voir)
¿qué (te, le) apetece?	qu'est-ce qui (te, vous) fait envie?
podemos ir a (una discoteca)	nous pouvons aller (dans une discothèque)
me gustará mucho	cela me plaira énormément.

Quelques exemples de futur

me levantaré	je me lèverai
tomaré un baño	je prendrai un bain
me arreglaré	je me préparerai
cogeré un autobús	je prendrai un autobus

Les verbes de perception

ver	voir
oír	entendre (vous avez déjà appris : **¡oiga!** au chapitre 4)
oler	sentir
tocar	toucher
catar	goûter

Et les cinq sens

la vista	la vue
el oído	l'ouïe
el olfato	l'odorat
el tacto	le toucher
el sabor, el gusto	le goût

SCOTT - ESCRIBANO / L'ESPAGNOL C'EST FACILE 8

Mettez
en pratique
ce que vous avez appris

1 Écoutez le bulletin d'information sur votre cassette, puis cochez les bonnes réponses. (Réponses p. 202)

Vocabulaire

participará	il prendra part (participar participer, prendre part)
el acto	l'acte, l'action, la cérémonie
habrá	il y aura (**hay** de l'auxiliaire **haber,** il y a)
la elección	l'élection

A Il y aura des élections à Séville et à Cordoue le :
    27 ☐
    22 ☐
    24 ☐

B Le Président du gouvernement prendra part à :
    3 cérémonies ☐
    4 cérémonies ☐
    2 cérémonies ☐

C Le 6 décembre, Don Juan Carlos et la reine Sophie assisteront à :
    une soirée à l'opéra de Milan ☐
    un festival cinématographique à Rome ☐
    un concert à Turin ☐

D Le 7, ils assisteront :
    à la première d'un film ☐
    à la représentation théâtrale d'une pièce de Franco Martinelli ☐
    à un banquet officiel ☐

E Quelle est la fonction de Tomás Fernandez ?
    Secrétaire de la mairie ☐
    Président de la filiale de l'U.C.D. ☐
    Directeur des Plástico Valenciano S.A. ☐

2 L'employée d'une agence de voyages renseigne Antonio sur un voyage organisé à l'intention des retraités **los jubilados.**
Écoutez ce dialogue à plusieurs reprises, prenez des notes si vous le jugez nécessaire, puis complétez le dépliant ci-dessous. (Réponses p. 202)

Vocabulaire

la oferta	l'offre	**el puerto**	le port
el barco	le bateau	**la actividad**	l'activité
a bordo	à bord		

SENSACIONAL
....
PARA
....
.... **DE GANDIA**

Día 1 PALMA – VALENCIA
Salida en barco a las 23'00 h.
Noche ....

Día 2 VALENCIA – GANDIA
Llegada a Valencia a las ....
salida en autocar hacia Gandía. Almuerzo, cena.

Día 7 GANDIA – VALENCIA – PALMA
Desayuno y almuerzo en el hotel. Por la tarde a última hora después de la cena traslado al
.... de Valencia. Salida en
.... a las 23'00 h. Noche a bordo.

POR PERSONA 8.050 – PTAS
Mínimo 40 participantes
Este precio .... billetes de barco ida y vuelta
Estancia en el Hotel Las Anclas en Gandía
Categoría .... estrellas
Pensión completa. Incluído .... en las comidas.

HOTEL LAS ANCLAS
Características: salón social, piscina, parque infantil,
todas las .... con baño
.... calefacción.

---

3 Écoutez sur la cassette une conversation entre Sandra et son coiffeur. Vous trouverez ci-dessous la liste des soins et traitements capillaires proposés par le salon Vicente. Cochez ceux que demande Sandra. (Réponses p. 202)

Vocabulaire

cortar faire une coupe
marcar faire une mise en plis (littéralement marquer)
la manicura la manucure
el estilo le style
los reflejos les reflets
revitalizante traitant(e)
moldeadora permanente souple
según calidad de esmalte selon la qualité du vernis
el champú le shampooing
el oro l'or
la plata l'argent
la loción para marcar le fixateur

Peluquería VICENTE

SERVICIOS	TARIFAS
1 ☐ Lavar y marcar	300 ptas
2 ☐ Cortar	450
3 ☐ Lavar/broshing (secadora de mano)	350
4 ☐ Crema revitalizante	300
5 ☐ Loción para marcar	200
6 ☐ Reflejos colorantes	450
7 ☐ Manicura (según calidad de esmalte)	200/450
8 ☐ Moldeadora	1500
9 ☐ Permanente en frío	1400
10 ☐ Champú 'oro y plata'	300

Grammaire

Le futur

En espagnol, le futur s'exprime de plusieurs manières, soit avec :

● **tengo que** + infinitif. C'est un futur qui contient une notion d'obligation : **tengo que ir a retirar unos documentos** je dois aller retirer des papiers (administratifs)

● **ir a** + infinitif. C'est l'équivalent de notre futur proche ou immédiat :
voy a ir al cine je vais aller au cinéma
¿usted va a venir conmigo? allez-vous venir avec moi ?

● le verbe conjugué au futur :
me levantaré más tarde je me lèverai plus tard

Le futur se forme en ajoutant les terminaisons suivantes à l'infinitif des verbes

(yo) -é	**compraré**	**(nosotros) -emos**	**compraremos**
(tú) -ás	**comprarás**	**(vosotros) -éis**	**compraréis**
(él/ella/ud.) -á	**comprará**	**(ellos/ellas/uds.) -án**	**comprarán**

Comer → **comeré** je mangerai et **escribir** → **escribiré** j'écrirai

Certains verbes ont un futur irrégulier. L'irrégularité ne porte pas sur la terminaison qui est toujours celle que nous venons de vous indiquer mais sur le radical. Ainsi :

poner	**pondré**	je mettrai
tener, tener que	**tendrás, tendrás que**	tu auras, tu devras
venir	**vendrá**	il viendra
salir	**saldremos**	nous sortirons
poder	**podréis**	vous pourrez
haber	**habréis**	vous aurez
decir	**dirán**	ils diront
valer	**valdrán**	ils vaudront
hacer	**harán**	ils feront

Exercice

Complétez les phrases suivantes en traduisant et en mettant à la première personne du singulier du futur les verbes entre parenthèses. (Réponses p. 202)

1 (Devoir) _____ **salir de compras mañana.**
2 (Aller regarder) _____ **el partido de fútbol.**
3 (Venir) _____ **a Francia el año próximo.**
4 **Cuándo** _____ (paierai-je) ?
5 (Se lever) _____ **muy temprano mañana.**

197

Les pronoms relatifs

Vous avez déjà rencontré un exemple de pronom relatif :
el hotel que me recomendó una amiga l'hôtel que me recommanda une amie (chapitre 12, dialogue 6)

QUE (qui, que)
Il a pour antécédent soit une personne soit une chose et il peut être sujet et complément d'objet direct
el libro que leo es muy interesante le livre que je lis est très intéressant
el niño que canta se llama Pedro l'enfant qui chante s'appelle Pedro

QUIEN, QUIENES (qui, à qui)
A la différence de **que,** il ne peut avoir pour antécédent qu'une personne **(quien)** ou plusieurs personnes **(quienes).**
la persona quien trabaja mucho en mi familia es mi padre la personne qui travaille beaucoup dans ma famille est mon père
Pepe y sus amigos, quienes están de vacaciones, van a la playa hoy Pepe et ses amis, qui sont en vacances, vont à la plage aujourd'hui
Il s'emploie comme sujet ou comme complément mais, attention, lorsqu'il est complément d'objet direct, il doit obligatoirement être précédé de la préposition **a :**
la chica a quien miras es mi hija la petite fille que tu regardes est ma fille

EL CUAL (lequel) **EL QUE** (lequel, celui que)
Ce pronom relatif suppose un lien moins étroit avec son antécédent et on le trouve plus volontiers en début de proposition ; comme son équivalent français « lequel », il s'accorde en genre et en nombre.

| | Singulier | | Pluriel | |
Masculin	Féminin	Neutre	Masculin	Féminin
el cual	la cual	lo cual	los cuales	las cuales
el que	la que	lo que	los que	las que

llamo a una amiga de Luisa, la cual no está en casa hoy je téléphone à une amie de Louise, laquelle n'est pas chez elle aujourd'hui
« Maria Pineda » es el programa que prefiero « Maria Pineda » est le programme que je préfère

CUYO (dont)
Cuyo s'accorde avec le nom dont il est complément. L'article qui précède ce nom n'apparaît jamais en espagnol.

| | Singulier | Pluriel | |
Masculin	Féminin	Masculin	Féminin
cuyo	cuya	cuyos	cuyas

España es un país cuyo clima es muy agradable l'Espagne est un pays dont le climat est très agréable
El señor cuya hija tiene siete años es médico le monsieur dont la fille a sept ans est médecin

Lire & comprendre

Voici un passage de la lettre que Fina vient d'écrire à ses parents. Elle est actuellement en vacances à Ibiza et elle raconte ce qu'elle va faire le lendemain avec son mari et ses enfants.

Y mañana – mañana vamos a visitar la capital de la isla, que también se llama Ibiza. Parece que es una ciudad muy bonita construida en una montaña cerca del mar. Iremos a estos barrios famosos, muy blancos, en donde se puede ver el mar abajo... Seguro que es precioso ¿verdad? Tendremos que ir también a visitar el ayuntamiento y la catedral que están en el barrio de Dalt Vila. Parece que tiene murallas del siglo XVI que le gustarán mucho a Juan. Pero los niños no estarán contentos si no vamos a la playa, así que después de almorzar en la ciudad, iremos a la playa más cerca del hotel y jugarán allí con otros niños también del hotel. Pero antes tendré que ir de compras.

Muchos besos y abrazos de tu hija,

Fina

Vocabulaire

construida	construite (**construir** construire)
el barrio	le quartier
seguro	sûr, sûrement
precioso	joli, mignon
la muralla	le rempart
el siglo	le siècle
el beso	le baiser
el abrazo	l'accolade (ici : tendresses)

Soulignez tous les verbes de cette lettre qui sont conjugués au futur. Vérifiez vos réponses p. 202.

Le saviez-vous ?

Les « ferias » et les « fiestas »

Outre les jours fériés traditionnels parmi lesquels il faut citer le 12 octobre, **Día de la Raza** ou **Día de la Hispanidad** qui marque l'anniversaire de la découverte de l'Amérique, les Espagnols ont un grand nombre de fêtes **fiestas** religieuses ou profanes et qui accompagnent souvent les ferias qui sont des marchés ou des expositions commerciales, généralement annuelles.
Quelle que soit son importance, chaque petite ville ou village a sa fête annuelle. Elles ont toutes leur originalité propre, mais certaines ont une renommée qui dépasse les frontières.

Les fêtes de la Semaine Sainte, qui débutent le Dimanche des Rameaux par la bénédiction des palmes, sont célébrées dans la majorité des villes, mais c'est à Séville qu'elles prennent le plus d'ampleur. Des processions de chars fleuris, **los pasos** qui illustrent les différentes étapes de la Passion du Christ, parcourent les rues de la ville. Chaque quartier ou confrérie organise son défilé qui se fait au son des chants religieux ou **saetas,** déclamés par des cortèges de pénitents vêtus de cagoules qui expient ainsi publiquement leurs fautes.

D'une toute autre nature, les fêtes du printemps de Valence **Las Fallas** se déroulent au mois de mars pour la **San José.** Ces fêtes ont leur origine dans une très vieille coutume qui remonte au Moyen Age, à l'époque où la corporation des charpentiers brûlait les résidus de leur travail pour la **San José.** Elles tirent leur nom des personnages caricaturés en carton, brûlés sur la place publique le 19 mars autour de gigantesques feux de joie. **La Feria de Sevilla,** qui se déroule du 18 au 23 avril, n'a rien à voir avec les fêtes de la Semaine Sainte, évoquées plus haut. Elles sont émaillées de danse, bals et concerts au cours desquels les Sévillans revêtent leur costume traditionnel. Le temps fort de ces réjouissances sont les soirées ou **verbenas** qui débutent par la promenade **el paseo** et se prolongent très tard dans la nuit.

Madrid a bien évidemment sa fête avec la **San Isidro,** célébrée le 15 mai sur les bords du Manzanares.

Très prisées des touristes, les **Sanfermines** animent la Navarre et surtout **Pamplona** autour du 7 juillet, fête du saint patron **San Fermín.** Elles donnent lieu à de grandes fêtes tauromachiques et permettent aux jeunes **aficionados** de mettre leur courage à l'épreuve à l'occasion de lâchers de jeunes taureaux dans les rues de la ville, pendant toute la durée des réjouissances.
Pour terminer cette ronde des fêtes, nous évoquerons les fêtes basques placées sous le signe de la force avec toute une variété d'épreuves sportives comme le lever de pierres, les parties de pelote basque, les concours de « coupeurs » de troncs, etc.

1 Les fallas de Valence.
2 Pénitents de la semaine sainte à Valladolid.
3 La feria de Séville.
4 Pampelune : la San Fermín.

A vous de parler

Dans cet exercice, vous allez dire à Maria quels sont vos projets pour demain. Vous utiliserez la forme **voy a ...** (futur immédiat) et des expressions de temps. Si vous hésitez, reportez-vous à la « Grammaire » du chapitre 6.

Pour terminer, écoutez à nouveau tous les dialogues, révisez les mots-clés et expressions idiomatiques, et pourquoi n'essaieriez-vous pas de dire en espagnol et à haute voix quels sont vos projets pour le lendemain ou pour vos prochaines vacances ?

Réponses

Mettez en pratique ce que vous avez appris : Exercice **1** (a) 27 (b) 2 cérémonies (c) festival cinématographique à Rome (d) la représentation théâtrale d'une pièce de Franco Martinelli (e) secrétaire de la mairie. Exercice **2** Les mots manquants sont, dans l'ordre : oferta, jubilados, playa, a bordo, a las ocho, puerto, barco, incluye, tres, vino, habitaciones, completa. Exercice **3** cortar, lavar, broshing.

Grammaire : (1) tengo que (2) voy a ver (3) voy a ir (4) pagaré (5) me levantaré.

Lire et comprendre : Il y a huit verbes conjugués au futur : vamos a visitar, iremos, tendremos que, le gustarán, estarán, iremos, jugarán, tendré que.

¡ feliz viaje !

Vous allez apprendre

- à poser et à comprendre des questions simples sur le passé
- à raconter comment vous avez passé vos dernières vacances
- à mieux connaître les principales villes d'Espagne.

Avant de commencer

Vous voilà arrivé au dernier chapitre de ce livre. Vous en savez assez pour vous « débrouiller » et tenir une conversation de la vie courante. Lorsque vous aurez terminé ces quinze chapitres, surtout ne vous arrêtez pas en si bonne voie... Même si vous n'avez pas l'occasion de parler fréquemment avec des gens de langue espagnole saisissez la moindre chance qui vous est offerte de lire, d'écouter ou de parler l'espagnol... **¡Buen Viaje!**
Et n'oubliez pas de faire la dernière série d'exercices de révision p. 221.

Dialogues

1 Un voyage en France

Pepe	¿Conoce usted Francia?
Antonio	Sí, estuve hace dos años. Me gustó mucho.
Pepe	¿Qué ciudades le gustaron más?
Antonio	Bueno, sólo estuve en París y en Nantes, fuimos con unos amigos franceses.
Pepe	¿Y qué es lo que le gustó menos de Francia?
Antonio	Lo que me gustó menos es que los franceses hablan francés en vez de hablar español y no entendí una sola palabra.

● **en vez de** au lieu de

◆ **estuve hace dos años** j'y fus il y a deux ans. Ce premier exemple de passé simple est malheureusement irrégulier : **estuve** (passé simple de **estar**). Nous y reviendrons dans la « Grammaire » de ce chapitre.
L'expression **hace dos años** signifie il y a deux ans. Elle est d'autant plus facile à retenir qu'elle est invariable ; il y a quatre ans se dit tout simplement **hace cuatro años.** Attention ! Ne confondez pas cette expression avec **hay** également invariable et qui signifie aussi il y a mais dans le sens quantitatif : **hay cuatro vasos en la mesa** il y a quatre verres sur la table.
◆ **me gustó mucho** cela m'a beaucoup plu (littéralement cela me plût beaucoup).
¿qué ciudades le gustaron más? quelles villes avez-vous préférées ? (littéralement quelles villes vous ont le plus enchanté ?)
◆ **fuimos con unos amigos franceses** nous y sommes allés (littéralement : nous y fûmes) avec des amis français. **Fuimos** est le passé simple à la fois du verbe **ser** et du verbe **ir.**

2 Une journée cauchemar pour Conchita

Conchita	Chica, ayer fue horrible. Llevé a los niños al colegio y después quise encontrar la tienda en la que Luisa y Pilar me dijeron que vendían ese traje que busco. No conseguí nada, perdí toda la mañana, llegué tarde a buscar a los niños y me pusieron una multa porque dejé el coche mal aparcado. Por eso no te llamé como habíamos quedado . . .

● **el traje** le costume
● **buscar** chercher
● **conseguir** réussir

♦ **llevé . . . al colegio dejé el coche** j'ai amené ... au collège, j'ai laissé la voiture. En espagnol, le passé simple s'emploie couramment pour traduire une action du passé révolu. En français, on n'emploie plus guère le passé simple que nous traduisons systématiquement par un passé composé.
La première personne du singulier du passé simple de ces verbes du premier groupe (en **-ar**) se termine par un **é** : **llevar → llevé** j'ai amené, **dejar → dejé** j'ai laissé, **comprar → compré** j'ai acheté, **hablar → hablé** j'ai parlé.

♦ **perdí toda la mañana** j'ai perdu toute la matinée. La première personne du singulier du passé simple régulier des verbes du deuxième groupe (en **-er**) et du troisième groupe (en **-ir**) se termine par un **í** : **comer → comí** j'ai mangé, **beber → bebí** j'ai bu, **vivir → viví** j'ai vécu, **escribir → escribí** j'ai écrit, **salir → salí** je suis sorti.
me pusieron una multa littéralement ils me mirent une amende.
Encore un passé simple irrégulier, celui du verbe **poner** mettre. Nous y reviendrons dans la « Grammaire » p. 211.
como habíamos quedado comme nous l'avions décidé.

3   Quelle malchance !

Luisa	**Ay, ¿qué les pasó anoche? ¿Se les estropeó el coche?**
Antonio	**Sí, tuvimos una avería y por eso llegamos tan tarde.**
Luisa	**¿Fue algo de gravedad?**
Antonio	**No, hubo suerte, no fue nada grave, pero estuvimos en un taller dos horas. No sé qué hacer con este coche. El domingo pasado fue peor todavía porque no pudimos encontrar ni un solo garaje abierto y tuvimos que dejar el coche donde nos occurió la avería.**
Luisa	**Pues vaya, lo siento.**

- **anoche**   hier soir
- **estropear**   abîmer
- **una avería**   une panne
- **la gravedad**   la gravité
  algo de gravedad
  quelque chose de grave
- **el garaje**   le garage

¿qué les pasó anoche? que vous est-il arrivé hier soir ?
¿se les estropeó el coche? la voiture est-elle abîmée ? (littéralement : la voiture s'est abîmée à vous). **Les** est le pronom complément d'objet indirect du vous de politesse au pluriel. Le verbe conjugué dans cette phrase est **estropear(se),** verbe régulier du premier groupe, qui est ici à la troisième personne du singulier du passé simple. Autre exemple : **habló** il/elle parla.

♦ **por eso llegamos tan tarde** c'est pour cela que nous arrivâmes si tard. Nous avons déjà appris les divers emplois de **por** et **para** dans le chapitre 5. Voici un autre sens de **por** à cause de, du fait de ; **por culpa tuya llegué tarde** à cause de toi (par ta faute), je suis arrivé en retard.

Llegamos il s'agit ici de la première personne du pluriel du passé simple. Comme vous pouvez le constater, elle est identique à la première personne du pluriel du présent de l'indicatif. Il faut être très attentif au contexte, afin d'éviter une éventuelle confusion : **llegamos ayer** nous arrivâmes hier mais **llegamos mañana** nous arrivons demain.

no fue nada grave ce ne fut rien de grave. **Ir** et **ser** à la 3ᵉ personne du singulier du passé simple donnent tous les deux **fue: fue a casa** il alla à la maison, **¿fue usted allí?** êtes-vous allé là-bas ?, **el tiempo fue muy de prisa** le temps passa très vite, **fue médico** il fut médecin, **fue demasiado temprano para mí** ce fut, c'était trop tôt pour moi.

no pudimos encontrar ni un solo garaje abierto nous ne pûmes même pas trouver un garage ouvert. **Poder** a également un passé simple irrégulier.

Abierto est le participe passé irrégulier du verbe **abrir** ouvrir. Nous reviendrons sur le participe passé p. 211.

tuvimos que dejar el coche nous dûmes laisser la voiture. **Tuve** est le passé simple irrégulier de **tener: tuve cien pesetas conmigo** j'avais (j'eus) cent pesetas sur moi (voir la « Grammaire » p. 211).

---

4 Une journée à la plage

Pepe **¿Cómo fue el domingo pasado?**
Juan **¡Hombre! Por fin tuve tiempo libre y como me atrae la vida al aire libre me levanté muy temprano y me fui con un amigo a la playa, lo pasamos muy bien, nadando y también estuvimos jugando al fútbol y a la pelota: ¡fue un día estupendo!**

● **atraer** attirer
● **la pelota** la pelote basque

y como me atrae mucho la vida al aire libre et comme la vie en plein air m'attire beaucoup. **Esa idea me atrae** cette idée m'attire.
♦ **nadando, jugando al fútbol** à nager et à jouer au football. Ces deux verbes **nadar** et **jugar** sont ici au participe présent. Celui-ci se forme en ajoutant la terminaison **-ando** (pour les verbes du 1ᵉʳ groupe) et **-iendo** (pour les verbes des 2ᵉ et 3ᵉ groupes) au radical de l'infinitif : **habl-ando, com-iendo, estudi-ando, llev-ando, compr-ando, viv-iendo.**
Le participe présent espagnol se traduit par : en + participe présent, ou à + infinitif. Il exprime soit une idée de simultanéité, soit la manière de faire quelque chose ou encore une relation de cause à effet.

5   Voyage en autocar

Maria	¿ Adónde fue usted de vacaciones el año pasado?
Sandra	El año pasado fui de vacaciones a España. Viajé en el autobús directamente desde París hasta Valencia, me paré un día y después fui a Cullera, un pueblecito cerca de Valencia. Quedé allí con una amiga y sencillamente, lo pasamos muy bien. Y todos los días fuimos a diferentes restaurantes, a probar varios platos típicos de la cocina valenciana.

- **viajar** voyager
- **sencillamente** simplement

▶ **el año pasado** l'an passé ; **la semana pasada** la semaine dernière.
Attention :
pasado mañana après-demain.
me paré un día je me suis arrêtée une journée
un pueblecito un petit village. Voici un nouvel exemple de diminutif
comme **momentito,** que nous avons déjà rencontré.
lo pasamos bien cela s'est bien passé.
Pasar passer (du temps) : **pasé tres días allí** j'y ai passé trois jours.

6   Excursion à Cuenca

Maria	¿Ayer fue Ud. por fin a visitar Toledo?
Sandra	No, por fin me fui a Cuenca, fue precioso.
Maria	¡Uy, qué lejos!, ¿fue Ud. en tren?
Sandra	Sí, pero volví en autobús porque llegué tarde y perdí el tren.
Maria	¿Qué viaje tan largo, no?
Sandra	Sí, acabé cansadísima. Salí muy temprano y no sé a qué hora volví, tardísimo.

sí, acabé cansadísima littéralement : j'ai terminé épuisée, très fatiguée.

7 A quelle heure arrive l'avion?

Pepe	**Oiga, ¿a qué hora llega el avión de París?**
Empleado	**Pues, el avión de Paris va a llegar a las cuatro y cuarto, las cuatro y quince minutos.**
Pepe	**¿Trae retraso?**
Empleado	**¡Qué va! Llega a su hora porque la hora de llegada programada son las cuatro y quince minutos.**

- **el avión** l'avion
- **el empleado** l'employé
- **programado** prévu, programmé

‣ **¿trae retraso?** a-t-il du retard?
(mot à mot : porte-t-il du retard?)
el retraso le retard.
Estar adelantado être en avance.
llega a su hora il est à l'heure
(littéralement : il arrive à l'heure).

Mots clés & *expressions idiomatiques*

estuve en Francia	j'ai séjourné en France
hace dos años	il y a deux ans
fui a España	je suis allé(e) en Espagne
fue a Italia	il/elle est allé(e) en Italie, vous êtes allé(e) en Italie
el año pasado	l'an passé
la semana pasada	la semaine dernière
pasado mañana	après-demain
lo pasamos muy bien	ça se passe/ça s'est passé parfaitement
al llegar	en arrivant, à l'arrivée
al coger el tren	en prenant le train
¿hizo algún viaje?	avez-vous fait des voyages?
hice un viaje a . . .	j'ai fait un voyage à ...
¿le gustó Cuenca?	avez-vous aimé Cuenca?
sí, me gustó mucho	oui, j'ai beaucoup aimé
compré un traje	j'ai acheté un costume
salí de compras	je suis sorti(e) faire des courses
me perdí	je me suis perdu(e)
llegamos ayer	nous sommes arrivé(e)s hier
llegamos mañana	nous arrivons demain

Mettez en pratique ce que vous avez appris

1 Lisez le dialogue ci-dessous et complétez-le avec les phrases qui figurent dans l'encadré. Écoutez ensuite la conversation sur votre cassette pour vérifier vos réponses.

Vocabulaire

así que de sorte que

Ana María	**Y ¿adónde** _____ **el año pasado?**
Luis	**Pues cerca de Valencia** _____ **que se llama Cullera.**
Ana María	**Y ¿te gustó?**
Luis	**Oh sí ¡fue estupendo! Cullera está cerca del mar, así que pudimos estar en la playa** _____
Ana María	**Y ¿con quién fuiste?**
Luis	**Pues con mi familia,** _____
Ana María	**¿Y cómo fuisteis?**
Luis	**Pues** _____ **pero el coche se averió, así que tuvimos que ir en tren — muy temprano a las cinco y media de la mañana** _____ **a eso de las tres de la tarde. Fue un viaje demasiado largo para mi mamá, pero vamos,** _____ **al llegar allí.**
Ana María	**¿Qué te gustó más de Cullera?**
Luis	**Pues el clima, el mar, la playa, todo eso . . .**
Ana María	**Y ¿qué te gustó menos?**
Luis	**La gente. Hay** _____ **en el Mediterráneo.**

---

todo el día   demasiada gente   decidimos ir en coche

fuiste de vacaciones   **mis hermanos y mi hermana menor**

y llegamos allí   pudo descansar

a un pequeño pueblo   fue estupendo

2 Pouvez-vous traduire les phrases suivantes en espagnol ? Écoutez la cassette pour vérifier vos réponses.

Vocabulaire
coger attraper, saisir, cueillir.

a Je suis arrivée en avion —————————————————————————————
b Je suis allée au bar —————————————————————————————————
c J'ai écrit deux lettres ————————————————————————————————
d Je suis allée aux toilettes ——————————————————————————————
e J'ai dîné au restaurant ————————————————————————————————
f J'ai quitté l'aéroport et j'ai pris le car pour Palma ——————————————————

3 Nous voici à l'aéroport. Pouvez-vous traduire les textes des panneaux ci-dessous. (Réponses p. 218)

Nada que declarar

Artículos para declarar

Vuelos regulares con destino a Francia

Mostradores de facturación del uno al dieciocho

a
b
c
d

Grammaire

Le passé simple

Il exprime une action passée, terminée, sans relation avec le moment présent et se forme sur le radical de l'infinitif auquel on ajoute les terminaisons suivantes :

- pour les verbes du premier groupe

COMPRAR
compré	compramos
compraste	comprasteis
compró	compraron

- pour les verbes des 2ᵉ et 3ᵉ groupes

COMER		**ESCRIBIR**	
comí	comimos	escribí	escribimos
comiste	comisteis	escribiste	escribisteis
comió	comieron	escribió	escribieron

Un certain nombre de verbes ont un passé simple irrégulier, c'est-à-dire que le radical lui-même change.
En voici quelques-uns que vous avez vus dans ce chapitre :

estar	être	**estuve**	je fus
tener	avoir	**tuve**	j'eus **tuve que...** je dus...
poder	pouvoir	**pude**	je pus
querer	vouloir, aimer	**quise**	je voulus
poner	mettre	**puse**	je mis
hacer	faire	**hice**	je fis
		hizo	il/elle fit, vous fîtes : le **c** se transforme en **z** à la 3ᵉ personne du singulier

Ir aller et **ser** être ont la même forme au passé simple :

fui	fuimos
fuiste	fuisteis
fue	fueron

Le passé composé

Il existe en espagnol, comme en français, un autre temps du passé qui se forme avec le présent de l'indicatif du verbe **haber** + le participe passé du verbe conjugué.
Le participe passé se forme en ajoutant **-ado** au radical du verbe si celui-ci est du 1ᵉʳ groupe et **-ido** s'il s'agit d'un verbe du 2ᵉ ou du 3ᵉ groupe. Le participe passé du verbe **comprar** est : **comprado,** celui de **comer : comido.** Certains participes passés sont irréguliers comme :
escribir → escrito
poner → puesto
hacer → hecho

Dès lors, il vous est facile d'apprendre la conjugaison du passé composé :

he comprado	hemos comprado
has comprado	habéis comprado
ha comprado	han comprado

Remarquez que le participe passé conjugué avec **haber** avoir est invariable.

Exercice

Inscrivez la forme correcte du passé simple et du passé composé pour chacun des verbes ci-dessous. Ex : **Ella (escribir)** → **escribió, ha escrito.**

		Passé simple	*Passé composé*
1	Yo (conseguir)	_____	_____
2	Ellos (hablar)	_____	_____
3	Nosotros (entrar)	_____	_____
4	Vosotros (querer)	_____	_____
5	Tú (hacer)	_____	_____
6	Él (tener)	_____	_____
7	Ella (poner)	_____	_____
8	Usted (estar)	_____	_____
9	Ustedes (poder)	_____	_____

Le conditionnel

Pour les verbes des trois groupes, le conditionnel présent se forme en ajoutant les terminaisons suivantes à l'infinitif du verbe :

	-ía
mirar	-ías
comer	-ía
abrir	-íamos
	-íais
	-ían

Les verbes irréguliers au futur le sont de la même façon au conditionnel. (Voir la « Grammaire » chapitre 14, p. 197)

tendría	j'aurais
vendrías	tu viendrais
pondría	il mettrait
saldríamos	nous sortirions
podríais	vous pourriez
harían	ils feraient

Comme vous l'avez déjà constaté (voir chapitre 8), le conditionnel s'emploie dans les formules de politesse, pour exprimer une suggestion, une envie :

¿Podría aconsejarme? Pourriez-vous me conseiller?
Sí, sería conveniente. Oui, ce serait pratique.

Lire & comprendre

Voici un bref article extrait d'un grand quotidien national (**el diario** journal) à propos de réfugiés cubains.

Llegaron a Costa Rica los primeros cubanos

El presidente de Costa Rica fue ayer al aeropuerto para ver a los primeros cubanos que salieron de la Habana.
Los cubanos, que llegaron en dos aviones de LACSA, gritaron al bajar del avión ¡Viva Costa Rica!
Mucha gente viajó al aeropuerto y recibió a los cubanos con hostilidad.
Uno de los aviones se averió en el aeropuerto de la Habana y lo reparon los cubanos emigrantes.
Pudieron hacerlo rápidamente y salieron de la Habana con sólo media hora de retraso. Cuando llegaron al aeropuerto de San José en Costa Rica fueron directamente en autobús a un hotel en el centro de la ciudad donde cenaron y hablaron con representantes de la prensa. Todo el día siguiente estuvieron en el hotel con el presidente.
Salieron el lunes al pueblecito en donde van a parar durante varios meses...

Vocabulaire

gritar	crier
bajar	descendre
recibir	recevoir
la hostilidad	l'hostilité
el representante	le représentant
la prensa	la presse

A votre avis, les affirmations suivantes sont-elles vraies ou fausses? **(verdad o mentira).** A vous de cocher la bonne case. (Réponses p. 218)

		VERDAD	MENTIRA
1	L'épouse du président accompagnait ce dernier pour accueillir les réfugiés cubains.	☐	☐
2	Les Cubains sont arrivés dans trois avions cubains.	☐	☐
3	Les Cubains furent accueillis par des insultes.	☐	☐
4	Un des avions tomba en panne à La Havane.	☐	☐
5	Il a été réparé par les autorités costariciennes.	☐	☐
6	Il est arrivé à Costa Rica avec un jour de retard.	☐	☐

Le saviez-vous ??????

Barcelone

Ville portuaire aux allures de capitale, Barcelone a une architecture ample faite de larges avenues **las alamedas** dont la plus connue est **La Diagonal.** Des collines de **El Tibidabo** (530 m) et de **Montjuich,** on a un superbe point de vue sur la ville et ses alentours. Au cœur de la ville, **La Plaza de Cataluña** d'où partent les **Ramblas,** promenades centrales qui vous conduiront jusqu'au port où vous pourrez admirer **La Nao** qui emmena Christophe Colomb jusqu'aux Amériques. De part et d'autre des **Ramblas,** s'étendent deux quartiers très différents : d'un côté, le **Barrio Gótico** ou vieille ville qui recèle bien des merveilles architecturales dont la Cathédrale et des vestiges romains, et de l'autre, le **Barrio Chino,** quartier populaire où se côtoient bars et lieux peu recommandés aux heures avancées de la nuit. Autre artère très animée : le **Paseo de Gracia** qui vous conduira jusqu'à un monument qui mérite le détour : l'église de la **Sagrada Familia,** chef-d'œuvre inachevé du rénovateur de l'architecture catalane Gaudi.

Valence

Valence, située sur la **Costa del Azahar** (**azahar** signifie fleur d'oranger), est la troisième ville d'Espagne par sa population. Elle s'étend au milieu de jardins très fertiles ou **huertas** qui font la richesse de cette province du Levant dont elle est la capitale. Le pays valencien est un gros producteur d'agrumes et ses cultures maraîchères et ses rizières sont très prospères grâce à un système d'irrigation très étudié qui remonte aux Romains. Il est réglementé par une institution dont les origines sont inconnues mais qui légiférait déjà à l'époque de la domination arabe. Ce Tribunal des Eaux réunit tous les jeudis sur le parvis de la Cathédrale les représentants des différentes zones irriguées par les huit canaux qui sillonnent la plaine alentour. Ils viennent exposer les griefs et conflits éventuels aux huit juges, choisis parmi les notables et familles honorablement connues de la ville. Dans tous les cas, c'est le juge le plus âgé qui prononce la sentence sans appel devant un public toujours intéressé. L'auteur Vicente Blasco Ibañez (1867-1928) a magnifiquement décrit la vie des **huertas** dans ses romans. Le marché de la soie **La Lonja de la Seda,** édifice gothique construit au xve siècle et la Cathédrale avec sa tour octogonale du **Miguelete** sont des monuments qu'il faut voir absolument.

Grenade

Grenade, occupée par les Arabes pendant sept siècles, est un des joyaux de l'art maure. Vous y visiterez l'**Alhambra,** ensemble de palais et de forteresses agrémenté de **patios** somptueux et le **Generalife** ancienne résidence des rois de Grenade célèbre pour ses jardins en terrasse. Grenade jouit d'un climat et d'une situation exceptionnelle au centre d'un verger très riche, **La Vega,** et au pied des sommets de la **Sierra Nevada.** D'ailleurs n'est-il point un proverbe qui dit : **Quien no ha visto Granada no ha visto nada,** Qui n'a pas vu Grenade n'a rien vu.

La « Sagrada Familia » de Barcelone.

Salamanque

Salamanque est aujourd'hui encore la gardienne de la tradition universitaire. Elle se trouve dans la province de **León,** sur les rives du **Tormes,** où se passe l'action du roman de **El Lazarillo de Tormes** (1554) chef-d'œuvre et modèle du roman picaresque dans lequel le héros raconte sur le mode plaisant son amertume à l'égard de la société et sa solitude dans l'existence. L'Université de Salamanque date de 1242 et fut longtemps la deuxième d'Europe. Aujourd'hui dépassée par sa voisine Valladolid, elle fait toujours partie de la tradition espagnole et compte, entre autres célébrités, des auteurs comme Fray Luis de León et Unamuno.

Madrid

Quant à Madrid, capitale depuis 1560 lorsque le bon vouloir de Philippe II en décida ainsi, elle détient deux records : celui de la capitale la plus haute d'Europe (654 mètres d'altitude) et la plus centrale au monde. La **Puerta del Sol** en est le centre d'où rayonnent les artères principales conduisant notamment à la **Plaza Mayor.** La promenade favorite des Madrilènes est la **Gran Via** avec ses cafés et ses nombreux magasins. Nous terminerons cette évocation de Madrid par le **Prado,** musée national de peinture, qui est un des plus célèbres au monde et recèle, entre autres trésors, des œuvres de Vélasquez **(Velázquez),** Goya, El Greco, etc. Le musée est prolongé par un immense jardin, le Parc du **Retiro,** îlot de verdure dans une agglomération qui détient malheureusement le record de pollution des capitales européennes.

1

2

3

1 Les « huertas » de la région de Valence.

2 L'Escorial, près de Madrid.

3 Vue générale de Salamanque avec, au premier plan, le fleuve Tormes.

4 Madrid : la Plaza de España.

5 Madrid : la Plaza Mayor.

A vous de parler

Vous allez maintenant raconter vos dernières vacances en Espagne. Comme dans les autres exercices de ce type, le présentateur vous suggérera vos réponses.
Et, pour terminer, écoutez à nouveau l'ensemble des dialogues et vérifiez les mots-clés et les expressions idiomatiques. Revoyez la conjugaison des verbes — et notamment celle des verbes irréguliers — au passé simple et au passé composé.
Vous êtes maintenant tout à fait à même de vous faire comprendre et de comprendre les autres en Espagne. Alors **SUERTE!** bonne chance !

Révision

Faites les exercices de révision des leçons 11 à 15 p. 221. Sur la cassette, ces exercices figurent tout de suite après ce chapitre.

Réponses

Mettez en pratique ce que vous avez appris : Exercice **3** (a) rien à déclarer (b) à déclarer (c) vols réguliers à destination de la France (d) enregistrements 1-18.
Grammaire : (1) conseguí/he conseguido (2) hablaron/han hablado (3) entramos/hemos entrado (4) quisisteis/habéis querido (5) hiciste/has hecho (6) tuvo/ha tenido (7) puso/ha puesto (8) estuvo/ha estado (9) pudieron/han podido.
Lire et comprendre : (1) mentira (2) mentira (3) verdad (4) verdad (5) mentira (6) mentira.

Révision : Chapitres 1-5

Avant toute chose, soyez convaincu(e) de l'utilité des révisions. Voici quelques suggestions pour en retirer le plus grand profit :

— Relisez à haute voix tous les dialogues des chapitres 1 à 5.
— Révisez la rubrique « grammaire » de ces cinq chapitres.
— Assurez-vous que vous connaissez parfaitement les mots-clés et expressions idiomatiques.
— Faites les exercices ci-dessous et n'hésitez pas à vous référer aux chapitres concernées si vous avez la moindre difficulté.
— N'oubliez pas de faire l'exercice de révision qui suit immédiatement le chapitre 5 sur la cassette. Cet exercice similaire à ceux proposés dans la rubrique « A vous de parler » se fait sans l'aide du livre.

2 Vous êtes dans le hall d'un hôtel à la réception. Traduisez en espagnol les réponses que Françoise Martin fait à l'hôtesse. Vérifiez ensuite votre traduction sur la cassette.

Recepcionista	**Buenas tardes.**
Françoise	**Bonsoir. Avez-vous une chambre ?**

_____

Recepcionista	**Sí. ¿Para una o dos noches?**
Françoise	**Pour deux nuits, s'il vous plaît.**

_____

Recepcionista	**Bien, su nombre por favor.**
Françoise	**Françoise Martin.**

_____

Receptionista	**¿De dónde es?**
Françoise	**De France.**

_____

Receptionista	**Muy bien. Pasaporte por favor.**
Françoise	**Le voici.**

_____

3 Vous êtes dans un bar où vous commandez une boisson et une glace. Complétez la conversation que vous échangez avec le serveur et écoutez ensuite la correction sur votre cassette.

Camarero	**Sí señora ¿qué desea?**
Cliente	**Un** _____ **por favor.**

Camarero	Bien. Hay de café y de caramelo.
Cliente	_____ caramelo por favor. Y un _____
Camarero	¿Solo o con _____?
Cliente	Solo. ¿Hay un banco por _____?
Camarero	Sí. Al otro _____ de la Plaza Mayor.
Cliente	¿Está _____?
Camarero	No muy ____ Coge usted la primera bocacalle a la derecha y allí ____
Cliente	¿Tengo que ir _____ recto?
Camarero	Sí, hasta la primera bocacalle.
Cliente	Gracias y ¿_____ es todo?
Camarero	Ciento cincuenta pesetas señora.

Révision : Chapitres 6 à 10

2 Vous êtes dans un magasin pour acheter des souvenirs. Écoutez la conversation enregistrée sur la cassette autant de fois que vous le jugerez utile et, répondez aux questions suivantes.

a Combien coûtent les foulards ? _____

b Quelles sont les couleurs des plats dont le magasin dispose ?

_____

c Quelle est leur particularité ? _____

d Quelle remarque fait le vendeur à propos des mantilles ? _____

e En quoi les foulards sont-ils ? _____

3 Une dame achète un billet de train. Tout en écoutant l'enregistrement, cochez ce qu'elle demande et le prix de son billet.

☐ **ida**
☐ **750 pesetas**
☐ **Córdoba.**
☐ **1°**
☐ **2°**
☐ **ida y vuelta**
☐ **Granada**
☐ **850 pesetas**

Révision : Chapitres 11 à 15

1 Ana décrit ses projets pour demain. Après avoir écouté la cassette autant de fois que vous le jugerez nécessaire, inscrivez ci-dessous en français les onze activités évoquées.

a _____

b _____

c _____

d _____

e _____

f _____

g _____

h _____

i _____

j _____

k _____

2 Voici la façon dont Miguel organise sa journée. En vous inspirant des dessins, complétez les phrases suivantes (La phrase f vous est donnée à titre d'exemple). Vérifiez ensuite vos réponses sur la cassette.

a   **Me levanto a las ocho** _____

b   **Me visto a las nueve** _____

c   **Me arreglo a las diez y media** _____

d   **Regreso a las dos** _____

e   **Voy a mi habitación a las cuatro** _____

f   **Salgo a las cinco para visitar el pueblo.**

g   **Me voy a la cama a las once** _____

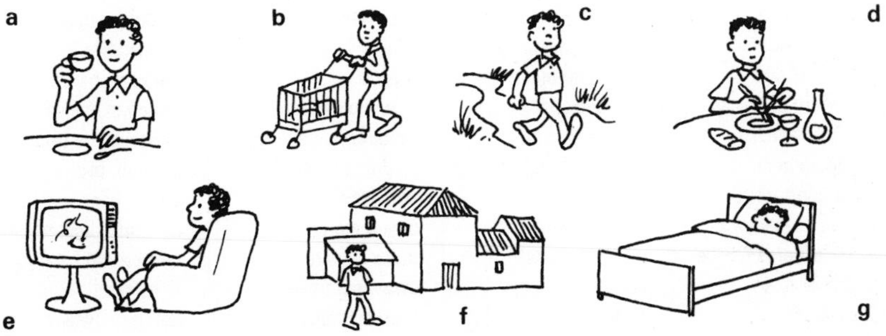

Lexique

A

a à
abajo dessous, en-dessous
abierto(a) ouvert(e)
abonado(a) abonné(e)
abonar abonner
abrazo m. accolade
abril m. avril
abrir ouvrir
abuela f. grand-mère
abuelo m. grand-père
acabar terminer
acampar camper
acatarrado(a) enrhumé(e)
aceite m. huile
aceituna f. olive
acomodadora f. ouvreuse
aconsejar conseiller
acostarse se coucher
actividad f. activité
acto m. acte, action
acuerdo m. accord
  de acuerdo d'accord, entendu
adelante devant, en avant
además en outre, de plus
adiós au revoir
¿adónde? où ?
aduanero m. douanier
adulto m. adulte
aeropuerto m. aéroport
afuera à l'extérieur
  las afueras f. pl. la banlieue, les environs

agencia inmobilaria f. agence immobilière
agobiado(a) voûté(e), accablé(e)
agosto m. août
agradable agréable
agua, agua mineral f. eau, eau minérale
ahora maintenant
aire m. air
albergue m. auberge
algo quelque chose
algodón m. coton
algún, alguno(a) quelque
almeja f. clovisse
almibar m. sirop
almorzar déjeuner
almuerzo m. le déjeuner
altura f. hauteur
alumno(a) élève
allí, allí mismo là, là-même
amarillo(a) jaune
ambiente m. atmosphère
ambos(as) les deux
americano(a) américain(e)
amigo(a) ami(e)
amo m. maître
amueblado(a) meublé(e), aménagé(e)
anaranjado(a) orange (couleur)
andaluz(a) andaloux(se)
andar marcher
andén m. quai

anguila f. anguille
animal m. animal
ante m. daim
antes de avant de
antigüedades f. pl. antiquités
año m. année
aparcar garer
apartado de correos m. boîte postale
apartamento m. appartement
apellido m. nom de famille
apetecer plaire
aprovechar profiter
aproximadamente approximativement
aquí ici
  por aquí par ici
ardor m. brûlure
aroma m. arôme
arreglado(a) arrangé(e)
arreglarse se préparer
arriba en haut
arroz m. riz
artículo m. article
asado(a) grillé(e)
así ainsi
así que ainsi que
aspirador m. aspirateur
atasco m. embouteillage
atender être attentif, s'occuper de
Atlántico Atlantique
atraer attirer
atrás derrière
atravesar traverser
atún m. thon

aun même
aunque bien que, quoique
autobús m. autobus
autocar m. autocar
autopista f. autoroute
ave f. oiseau
autoservicio m. libre-service
avenida f. avenue
avería f. avarie, panne
averiarse avoir une panne
avión m. avion
ayuntamiento m. mairie
azafata f. hôtesse de l'air
azucar m. sucre
azul bleu
azul marino bleu marine

B

bacalao m. morue
bailar danser
bajar baisser, descendre
bajo(a) bas(se)
  planta baja rez-de-chaussée
balón m. ballon
banco m. banque
bañar(se) se baigner
baño m. bain
bar m. bar
barato(a) bon marché
barbaridad f. barbarie, horreur
barco m. bateau

barra f. baguette

barrio m. quartier

bastante assez

batista f. batiste

beber boire

beige beige

beso m. baiser

bicicleta f. bicyclette

bien bien

más bien plutôt

bifurcación f.
croisement

billete m. billet

blanco(a) blanc(he)

blazer m. blazer

boca f. bouche

bocacalle f. entrée
d'une rue

bocadillo m. sandwich

bolsa f. bourse

bonito(a) mignon(ne)

boquerón m. anchois
frais

bota f. botte

botella f. bouteille

botellín m. petite
bouteille

brisa f. brise

bronceador m.
produit pour bronzer

bueno(a) bon(ne)

burdeos bordeaux

buscar chercher

butaca f. fauteuil
d'orchestre

C

caballero m. monsieur

cabeza f. tête

cabo, al cabo de bout,
après

cabra f. chèvre

cada chaque

cadena f. chaîne

caer tomber

café m. café

caja caisse

---

calamar m. calamar

caldo cru

calefacción f.
chauffage

calidad f. qualité

caliente chaud

calor chaleur

caluroso(a) chaud(e),
chaleureux(se)

calle f. rue

callos m. pl. tripes

cama f. lit

camarero(a)
serveur(se)

cambiar changer

cambio m. change

camino m. chemin

camisa f. chemise

camiseta f. chemisette

campo m. campagne

canadiense
canadien(ne)

cangrejo m. crabe

cansado(a) fatigué(e)

cantidad f. quantité

cana f. canne

caña f. bière pression

capacidad f. capacité

capilla f. chapelle

cara f. visage

caramelo m. caramel

caravana f. caravane

carne f. viande

carnero m. mouton

carnet carnet, carte

caro(a) cher(e)

carísimo très cher

carretera f. route

carta f. lettre, carte
(restaurant)

casa f. maison

casa de huéspedes
maison d'hôtes

casado(a) marié(e)

catedral f. cathédrale

categoría f. catégorie

catorce quatorze

cena f. dîner

centro m. centre

---

cerca, cerca de près,
près de

cerdo m. cochon

cerilla f. allumette

cero m. zéro

cerrarse se fermer

cerveza f. bière

cien cent

cigarrillo m. cigarette

cilindrico(a)
cylindrique

cinco cinq

cincuenta cinquante

cine m. cinéma

cinturón m. ceinture

circular circuler

ciudad f. ville

claro(a) clair(e)

clase f. classe

clavel m. œillet

clásico(a) classique

cliente m. client(e)

clima m. climat

club náutico m. club
nautique

cobrar faire payer

cocer cuire

cocido m. pot-au-feu

cocina f. cuisine

cocinar cuisiner

coche m. voiture

cochinillo m. cochon
de lait

cocodrilo m. crocodile

código m. code

coger cueillir, attraper

colegio m. collège

colocar placer

color m. couleur

comedia f. comédie

comedor m. salle à
manger

comenzar commencer

comida f. repas

¿cómo? comment ?

como comme

como de

costumbre comme
d'habitude

---

cómodo commode

completo(a)
complet(e)

compra f. achat

comprar acheter

comprender
comprendre

comprimido m.
comprimé, cachet

comprobar tester,
vérifier

con avec

condición f.
condition

conferencia f.
conversation,
conférence

conocer connaître

conocido(a) connu(e)

conseguir réussir

consomé m.
consommé

construir construire

construido(a)
construit(e)

contento(a) content(e)

conveniente pratique

corazón m. cœur

correo m. courrier

correr courir

corrida f. corrida

cortar couper

cosa f. chose

coser coudre

costa f. côte

costar coûter

costumbre f. coutume

creer croire

crema f. crème

crépe m. crêpe

cruce m. croisement

crucigrama m. mots
croisés

cruzar traverser,
croiser

¿cuál? quel ?

cualquier(a)
n'importe quel(le)

cuando lorsque

¿cuándo? quand?
¿cuánto? ¿cuán?
combien?
cuarenta quarante
cuarto m. pièce, quart
cuarto de baño m.
salle de bains
cuatro quatre
cubano(a) cubain(e)
cubierto(a) couvert(e)
cuenta f. addition
cuero m. cuir
cuestión f. question
culpa f. faute
cumpleaños m. pl.
anniversaire
cuñada f. belle-sœur
cupón m. coupon,
ticket
curva f. courbe,
tournant
cuyo(a) dont

champú m.
shampooing
chaqueta f. veste
cheque de viaje m.
chèque de voyage
cheviot m. cheviotte
chica f. fille
chico m. garçon
chocolate m. chocolat
churro m. beignet

dar donner
dar un paseo faire une
promenade
dar clases donner des
cours
de de
deber devoir

decir dire
dejar laisser
delante (de) devant
demasiado trop
dentro à l'intérieur
depender (de)
dépendre (de)
dependiente m.
vendeur
deportes m. sports
deportista m. sportif
derecha droite
a la derecha à droite
desayunar prendre le
petit déjeuner
desayuno m. petit
déjeuner
descanso m. repos
desde depuis
desear désirer
despacio lentement
despedida f. adieu,
licenciement
despejado(a)
dégagée, vif(ve)
después, después de
après
desviarse se
détourner, s'écarter
detestar détester
día m. jour
buenos días bonjour
(el) día del santo la
fête
diario m. quotidien
diario(a) quotidien(ne)
diciembre m.
décembre
diecinueve dix-neuf
dieciocho dix-huit
dieciséis seize
diecisiete dix-sept
diez dix
diferencia f. différence
difícil difficile
dinero m. argent
discoteca f.
discothèque
distinto(a) distinct(e)

divertirse se divertir
doblar plier, tourner
doce douze
docena f. douzaine
documento m.
document
dolor m. douleur, mal
domicilio m. domicile
domingo m. dimanche
don monsieur
doña madame
donde où
¿dónde? où?
dorado(a) doré(e)
dormitorio m.
chambre
dos deux
doscientos deux cents
ducha f. douche
dulce doux
duración f. durée
durante pendant
durar durer
duro(a) dur(e)

echar jeter
echar a correr se
mettre à courir
echar una siesta faire
une sieste
echarse a reir se
mettre à rire
edad f. âge
efectivamente
effectivement
elección f. élection
ella elle
ellos(as) eux, ils, elles
empleada f. employée
empleado m. employé
en dans, à
encaje m. dentelle
encantado(a)
enchanté(e)

encantar ravir
encargarse se charger
encima de au-dessus
de
por encima de par
dessus
encontrar trouver
encontrarse se trouver
enero m. janvier
enfrente de en face de
enlace m.
correspondance
ensaladilla f. salade
entonces alors
entre entre, parmi
entrar entrer
entregar livrer,
remettre
entremeses m. pl.
hors-d'œuvre
entretener entretenir
enviar envoyer
época f. époque
escribir écrire
ese(a) ce, cette
esmalte m. vernis
eso cela
esos(as) ces, cettes
espalda f. dos
España Espagne
español(a) espagnol(e)
especialmente
spécialement
especificar spécifier,
préciser
esperar espérer,
attendre
esposa f. épouse
esposo m. époux
esquiar skier
esquina f. angle
establecimiento m.
établissement
estación f. gare, saison
estampado(a)
imprimé(e)
estancia f. séjour
estanco m. kiosque
estar être

éste(a) celui-ci
estilo m. style
esta cette
estos(as) ces, cettes
éstos(as) ceux-ci,
  celles-ci
estrella f. étoile
estudiante m. étudiant
estupendo(a)
  étonnant(e)
eterno(a) éternel(le)
expreso m. train
  express
extenderse s'étendre
extensión f. extension
extremo(a) extrême
extremo m. extrémité

F

faena f. tâche, corvée
falda f. jupe
familia f. famille
fantasía f. fantaisie
farmacia f. pharmacie
farmacéutica f.
  pharmacienne
favorito(a) favori(te)
febrero m. février
fecha f. date
feliz heureux
ferrocarril m. chemin
  de fer
festivo(a) enjoué(e),
  gai(e)
  día festivo jour de
  fête
fiambre m. viande
  froide
fijo(a) fixe
final m. fin
  al final de à la fin de
firma f. signature
firme ferme
flan m. flan
flor f. fleur

formar former
foto photographie
fracaso m. échec, four
francés(a) français(e)
freir frire
frecuencia f.
  fréquence
franqueo m.
  affranchissement
frecuencia f.
  fréquence
fresa f. fraise
frío(a) froid(e)
frito(a) frit(e)
fruta f. sing. fruits
fuerza f. force

G

gafas lunettes
gallego(a) galicien(ne)
gamba f. langoustine
ganar gagner
garaje m. garage
garbanzo m. pois
  chiche
garganta f. gorge
gas gaz
gasolinero(a)
  pompiste
gasolina f. essence
gazpacho m.
  consommé froid
gente f. gens
girar tourner
girasol m. tournesol
gobierno m.
  gouvernement
golfista m. golfeur
gordo(a) gros(se)
gracias f. pl.
  remerciements
  muchas gracias
  merci beaucoup
grado m. grade, degré
gramo m. gramme

gran, grande grand,
  grande
granizar grêler
grave grave
gris gris
gritar crier
grueso(a) gros(se)
guapo(a) joli(e)
gustar plaire
gusto m. goût, plaisir

H

habitación f. pièce
hablar parler
hacer faire
hacia vers
hasta jusqu'à
hay il y a
hay que il faut que
helar geler
helado m. glace
hermana f. sœur
hermano m. frère
hielo m. gel
hija f. fille
hijo m. fils
histórico(a) historique
hoja f. feuille
hogar m. foyer
¡hola! salut
hombre m. homme
hora f. heure
horario m. horaire
horchata f. orgeat
horizontal horizontal
hostal m. hôtellerie
hostilidad f. hostilité
hotel m. hôtel
hoy aujourd'hui
huerta f. jardin
huesped m. hôte
húmedo(a) humide
huevo m. œuf

I

ida f. aller
idioma m. langue
iglesia f. église
igual identique, même
imitación f. imitation
importante important
impuestos m. pl. impôt
incomparable
  incomparable
indicator m. panneau
  indicateur
ingeniero m. ingénieur
inglés(a) anglais(e)
invierno m. hiver
ir aller
ir de tiendas aller faire
  les magasins
ir de paseo aller faire
  une promenade
isla f. île
itinerario m. itinéraire
izqiuerda gauche

J

jamón m. jambon
jarabe m. sirop
jardín m. jardin
jefe m. chef
jefe de sección chef
  de rayon
jersey m. pull-over,
  chandail
jubilado(a) retraité(e)
jueves m. jeudi
jugar jouer
juguete m. jouet
julio m. juillet
junio m. juin
junto(a) ensemble
justo(a) juste

K

kilo m. kilogramme
kilómetro m. kilomètre

L

labor f. travail
lado m. côté
lápiz m. crayon
largo(a) grand(e)
lata f. boîte de conserve
lavabo m. lavabo
lavar laver
lavarse se laver
leche f. lait
lechuga f. laitue,
   salade verte
leer lire
lejos loin
lengua f. langue
levantarse se lever
libre libre
libro m. livre
ligeramente
   légèrement
limpiar nettoyer
liquidar liquider
litro m. litre
localidad f. localité
loco(a) fou, folle
locutorio m. cabine
   téléphonique
luego puis, ensuite
lugar m. lieu, endroit
lujoso(a) luxueux(se)
lunes m. lundi

LL

llamada f. appel
llamar appeler
llamarse s'appeler
llegada f. arrivée

llegar arriver
lleno(a) plein(e)
llover pleuvoir
lluvioso(a)
   pluvieux(se)
lluvia f. pluie

M

magnetófono m.
   magnétophone
maíz m. maïs
mal mal
maleta f. valise
malo(a) méchant(e),
   mauvais(e)
manera f. manière,
   façon
manicura f. manucure
mano f. main
mantequería f.
   crémerie
mantilla f. mantille
mañana f. matin,
   demain
mar m. mer
marca f. marque,
   appellation
marcar marquer, faire
   une mise en plis
marcharse partir, s'en
   aller
marearse avoir des
   vertiges
marfil m. ivoire
marisco m. coquillage
marrón brun, marron
martes m. mardi
marzo m. mars
más plus
matrimonio m.
   mariage
mayo m. mai
mayor plus grand, aîné
mayormente
   principalement, en
   règle générale

medicina f.
   médicament
médico m. médecin
medida f. mesure
media f. bas
medio(a) moyen(ne)
medio aseo cabinet de
   toilette
media hora
   demi-heure
mediodía m. midi
mejor mieux, meilleur
melocotón m. pêche
melon m. melon
menos moins
mentira f. mensonge
menú m. menu
merendar goûter
merienda f. goûter
merluza f. colin
mes m. mois
mesa f. table
metro m. métro
metro m. mètre
microbús m. minibus
mientras tandis que
miércoles m. mercredi
mil mille
minuto m. minute
mirar regarder
mismo(a) même
moldeadora f.
   permanente souple
moneda f. argent
montaña f. montagne
montañoso(a)
   montagneux(se)
montar en bicicleta
   faire de la bicyclette
morado mauve, parme
morir mourir
mortadela f.
   mortadelle
mostrador m.
   comptoir
moto f. moto
muelas (dolor de)
   maux de dents
muerte f. mort

mujer f. femme
multa f. amende
murallas f. pl.
   murailles
muy très

N

nacional national
nacionalidad f.
   nationalité
nada rien
   de nada de rien
nadar nager
naranja f. orange
naturalmente
   naturellement
necesario(a)
   nécessaire
necesitar avoir besoin
   de
negro(a) noir(e)
nevar neiger
ni ni
niebla f. brouillard
nieto(a) petit-fils,
   petite-fille
nieve f. neige
niño(a) petit garçon,
   petite fille
nivel m. niveau
no non
noche f. nuit
nombre m. nom
normal normal
normalmente
   normalement
norte nord
novedad f. nouveauté
noventa quatre-vingt-
   dix
noviembre m.
   novembre
novillada f. novillada
novio(a) fiancé(e)
nube f. nuage

nubes alternas
passages nuageux
nubloso(a),
nuboso(a)
nuageux(se)
nueve neuf
número nombre
nunca jamais

o ou
obedecer obéir
obra f. œuvre
octubre m. octobre
ochenta dix-neuf
ocho huit
odiar haïr
oeste ouest
oferta f. offre
oficina f. bureau
oficina de turismo
office de tourisme
oido m. ouïe
oir entendre
ojo m. œil
olfacto m. odorat
oler sentir
olivo m. olivier
olla pot-au-feu
once onze
orden m. ordre
oro m. or
oscilar osciller
otoño m. automne
otro(a) autre
oveja f. brebis

padre m. père
paella f. paella
pagar payer
país m. pays

paisaje m. paysage
pan m. pain
pantalones m. pl.
pantalons
pañuelo m. foulard
paquete m. paquet
par m. paire
para pour
parabrisas m.
parebrises
parada f. arrêt
parador m. parador
paraíso m. paradis
parar arrêter
parecer sembler,
paraître
parque m. parc
parte f. partie
participar participer
partido de fútbol m.
partie de football
pasar passer
pasaporte m.
passeport
pasear passer
paseo m. promenade
paso m. saynète
patata f. pomme de
terre
peaje m. péage
pedir demander
peinarse se peigner
película f. film
pelota f. balle
peluquero(a)
coiffeur(se)
pensar penser
pensión f. pension
peor pire
pequeño(a) petit(e)
pera f. poire
perderse se perdre
perfecto(a) parfait(e)
perfectamente
parfaitement
perfumería f.
parfumerie
periodo m. période
periódico m. journal

perla f. perle
pero mais
perro chien
persona f. personne
pescado m. poisson
(vivant)
peso m. poids
pez m. poisson (pêché)
parada f. arrêt
picante piquant(e)
pie m. pied
a pie à pied
piel f. peau
pierna f. jambe
pila f. pile
piscina f. piscine
piso m. appartement
planchar repasser
planta f. étage
plata f. argent
plátano m. banane
plateado(a)
argenté(e), cendré(e)
plato m. plat, assiette
playa f. plage
plaza f. place
poder pouvoir
poliester m. polyester
polipiel f. imitation cuir
poner mettre
por favor s'il vous plaît
por encima de par
dessus
porque parce que
¿por qué? pourquoi ?
posible possible
postre m. dessert
potable potable
precio m. prix
precioso(a) joli(e),
mignon(ne)
preferir préférer
prefijo m. indicatif
prensa f. presse
preparado(a) prêt(e),
préparé(e)
presidente m.
président
presión f. pression

primavera f. printemps
primero premier
primo m. cousin
probar essayer
procedencia f.
provenance
procedente de en
provenance de
profesor(a) professeur
programa m.
programme
programado(a)
programmé(e)
propio(a) propre
propina f. pourboire
provincia f. province
pueblo m. village
puente m. pont
puerto m. port
pues donc
punto point
en punto à l'heure

que que
¿qué? qu'est-ce que ?
quedar(se) rester
querer aimer, vouloir
queso m. fromage
quien qui
¿quién? qui ?
quiniela pari mutuel
quinientos(as) cinq
cents

ración f. ration
rápido m. train rapide
rápido(a) rapide
raqueta f. raquette
rato m. moment
realmente réellement
rebaja f. remise, rabais

rebajado(a) soldé(e),
moins cher
recargo m. surcharge
recepción f. réception
recibir recevoir
recogida f. cueillette
recomendar
recommander
recto(a) droit(e)
recuerdo m. souvenir
reflejo m. reflet
refrigerio m.
réfrigérateur
refugio m. refuge,
chalet
regalo m. cadeau
región f. région
regional régional
regresar revenir
regular réglementer
reina f. reine
reir rire
reivindicar
revendiquer
relajante relaxant
reloj m. réveil, horloge
rellenar remplir
reparar réparer
retirar retirer
retraso m. retard
retrato portrait
revista f. revue
revitalizante m.
revitalisant
rey m. roi
río m. rivière, fleuve
rojo(a) rouge
romano(a) romain(e)
ron m. rhum
rosa f. rose
ropas f. pl. vêtements
rubio(a) blond(e)
rueda f. roue
rueda de repuesto
roue de secours

S

sábado m. samedi
saber savoir
sabor m. saveur, goût
sacar tirer
saeta f. chant religieux
sal f. sel
salado(a) salé(e)
salida f. sortie
salir sortir, partir
salón m. salon
santo(a) saint(e)
sardina f. sardine
satisfecho(a)
satisfait(e)
sea soit
secadora de mano f.
séchoir à cheveux
sección f. section,
département
seco(a) sec(he)
seda f. soie
seguida suite
en seguida tout de
suite
seguido(a) suivi(e)
seguir suivre
según selon
segundo(a) second(e)
de segundo en
second
seguro(a) sûr(e)
seis six
selva f. forêt
sello m. timbre
semana f. semaine
sencillamente
simplement
sencillo(a) simple
sentido m. sens,
sentiment
sentir ressentir,
regretter
señal f. signalisation
señor m. monsieur
señora f. madame

señorita f.
mademoiselle
septiembre m.
septembre
ser être
serial m. feuilleton
servicio m. service
servir servir
sesenta soixante
setecientos(as) sept
cents
setenta soixante-dix
sevillano(a) sévillan(e)
si si
sí oui, si
siempre toujours
sierra f. montagne
siesta f. sieste
siete sept
siglo m. siècle
significar signifier
siguiente suivant
silba f. sifflet
sin sans
sitio m. endroit, siège
sobre sur
sobre todo surtout
sol m. soleil
solamente seulement
sólo seulement
solo(a) seul(e)
café solo café noir
soltero(a) célibataire
solucionar résoudre
sombra f. ombre
sombrero m. chapeau
sopa f. soupe
suave doux
subterraneo m.
souterrain
suegra f. belle-mère
suegro m. beau-père
suerte f. chance
sucio(a) sale
suelto(a) détaché(e),
séparé(e)
sumar additionner
super f. super (essence)

supuesto f.
supposition,
hypothèse
por supuesto bien
sûr, certainement
sur m. sud
surtidor de gasolina
m. pompe à essence

T

tabaco m. tabac
tacto m. toucher
tal tel
talla f. taille
taller m. atelier
tamaño m. taille,
dimension
también aussi
tampoco non plus
tanto tant, autant
tapas f. pl. amuse-
gueule
taquillero(a)
guichetier(e)
tardar en tarder à
tarde tard
tarde f. après-midi
buenas tardes bon
après-midi
tarjeta f. carte
tarta helada f. tarte
glacée
taxista m. taxi
taximetro compteur
teatro m. théâtre
teléfono m. téléphone
televisar téléviser
televisión f. télévision
temperatura f.
température
templado(a)
tempéré(e)
temporada f. saison
temporada alta f.
haute saison

temprano tôt
tendero(a) commerçant(e)
tenedor m. fourchette
tener avoir
tenis m. tennis
tercero(a) troisième
terminación f. fin
terminar terminer
ternera f. veau
terraza f. terrasse
tiempo m. temps
tienda f. magasin
tinto rouge
típico(a) typique
tipo m. type
tocino porc, lard
todo tout
  sobre todo surtout
tomar prendre
tomate m. tomate
tono m. ton
torero m. toréador
tormenta f. tourmente
torneo m. tournoi
tortilla f. omelette
tostada toast
total m. total
trabajar travailler
trabajo m. travail
traer porter

traje m. costume
tranquilo(a) tranquille
trece treize
treinta trente
tren m. train
tres trois
trescientos(as) trois cents
trucha f. truite
turismo m. tourisme
turista m. touriste
turrón m. turron

último(a) dernier(e)
un(a) un(e)
uno un
uso m. usage, utilisation
útil utile

vaca f. vache
vaccíon f. vacances
vago(a) paresseux(se)
vainilla f. vanille

valer valoir
vale d'accord, entendu
valenciano(a) valencien(ne)
valle m. vallée
vara f. pique
variación f. variation
variado(a) varié(e)
variedad f. variété
vario(a9 divers(e)
vaso m. verre
vecino(a) voisin(e)
vegetal végétal
velocidad f. rapidité
veinte vingt
vender vendre
venir venir
ver voir
  a ver voyons
verano m. été
verbena f. veillée
verdad f. vérité
verde vert
vertical vertical
  los verticales verticalement
vestido m. robe
vestirse s'habiller
vez f. fois
a veces, algunas veces parfois

en vez de au lieu de
viajar voyager
viaje m. voyage
viejo vieux
viernes m. vendredi
viento m. vent
vino m. vin
visitante m& visiteur
visitar visiter
vista f. vue
vivir vivre
volver retourner
vuelo m. vol
vuelta f. retour, tour

y et
ya déjà

zapato m. chaussure
zoológico m. zoologique
zumo m. jus

Sommaire grammatical

NOTES

Réponses aux exercices de révision

Chapitres 6-10

Exercice 2 **a.** entre 3 000 et 5 000 pesetas **b.** rouge, vert et bleu **c.** ils sont faits à la main **d.** il n'a que des mantilles noires **e.** en crèpe, polyester et coton.

Exercice 3   Vous devez avoir coché Córdoba, 2° classe, ida y vuelta, 850 pesetas.

Chapitres 11-15

Exercice 1   **a.** Elle ira à la plage **b.** prendra son petit déjeuner dans un bar **c.** nagera **d.** se fera bronzer **e.** écrira à son fiancé **f.** retournera à l'hôtel pour déjeuner **g.** fera la sieste **h.** retournera à la plage **i.** sortira faire une promenade **j.** rentrera à l'hôtel **k.** se couchera entre 11 heures trente et minuit.

NOTES

Adresses utiles

Ambassade d'Espagne
13, avenue George V
75008 Paris
723.61.83

Office Culturel de l'Ambassade d'Espagne
11, avenue Marceau
75016 Paris
720.83.45

Office National Espagnol de Tourisme
43 ter, avenue Pierre 1er de Serbie
75008 Paris
720.90.54

Casa de España
7, rue Quentin-Bauchart
75008 Paris
723.94.31

Iberia
31, avenue Montaigne
75008 Paris
723.01.23

RENFE (chemins de fer espagnols)
1, avenue Marceau
75016 Paris

NOTES

Table des matières

Imprimé en France par IMPRIMERIE (istra) - Strasbourg – 515770 K
Dépôt légal n° 1448-10-85 - Collection n° 85 - Édition n° 01.

13/4644/4